605. THE PET HORSE.

WAYSIDE GEMS.
379 Jack Frost's Aquarium.

PHOTOGRAPHED AND PUBLISHED BY H. H. BENNETT, Kilbourn City, Wis.

Meadville, Pa., New York, N.Y., Portland, Oregon, London, Eng., Sydney, Aus.

SCENES IN ALL PARTS OF THE WORLD.

257 Belgium The Giraffe Antwerp Zoo Copyrighted 1904 by William H. Rau

WILLIAM H. RAU, Publisher.
PHILADELPHIA, PA.

SCHREIBER & SONS, PHILADELPHIA.

Copyright 1868, by B. W. Kilburn

STUDIES FROM NATURE.

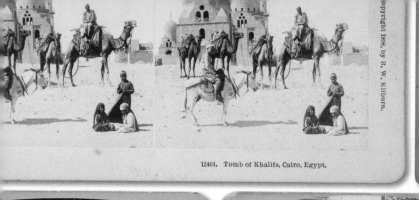

12401. Tomb of Khalifs, Cairo, Egypt.

Copyright 1898, by B. W. Kilburn.

WAYSIDE GEMS.
rost's Aquarium.

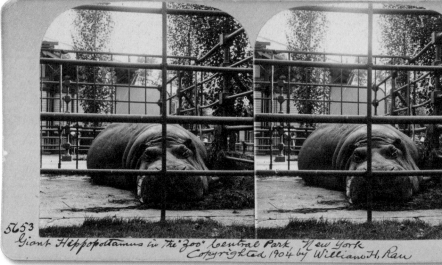

5653
Giant Hippopotamus in The "Zoo" Central Park, New York
Copyrighted 1904 by William H. Rau.

N WASHINGTON D. C.

WARUM WIR TIERE FOTOGRAFIEREN

WARUM WIR TIERE FOTOGRAFIEREN

DIE BESTEN FOTOGRAFINNEN UND FOTOGRAFEN DER WELT ERZÄHLEN UND ZEIGEN IHRE STÄRKSTEN BILDER

HUW LEWIS-JONES

Mit 278 Illustrationen

Aus dem Englischen von
Dr. Cornelia Panzacchi

KNESEBECK

EINLEITUNG 6

GESCHICHTEN **Unendlicher Sturm 16**

PROFIL Florian Ledoux 36
Ingo Arndt 42
Traer Scott 48
Kate Kirkwood 52
Jo-Anne McArthur 58

EINBLICK Jim Naughten:
Wildtierfiktionen 64

PROFIL Daniel Naudé 74
Georgina Steytler 80
Mateusz Piesiak 86
Karim Iliya 92

EINBLICK Britta Jaschinski:
Neu überdenken 98

FRAGMENTE 106

GESCHICHTEN **Wundersames
Leben 118**

PROFIL Xavi Bou 130
Alexander Semenov 136
Sergey Gorshkov 142
Tim Laman 148
Melissa Groo 152

EINBLICK Dina Litovsky:
Stadtgeschöpfe 156
Tim Flach:
Das innere Tier 166

PROFIL Stefan Christmann 176
Leila Jeffreys 180
Anuar Patjane 186
John Bozinov 192

EINBLICK Claire Rosen:
*Fantastische
Festmahle* 198

FRAGMENTE 206

PROFIL Marcin Ryczek 218
Nichole Sobecki 224
Marsel van Oosten 230
Staffan Widstrand 236
Alicia Rius 242

EINBLICK Levon Biss:
Schätze der Natur 248
Steve Winter:
Hollywood-Puma 256

PROFIL Shannon Wild 264
Kiliii Yuyan 270
Daisy Gilardini 276
Anup Shah 282
Will Burrard-Lucas 288

EINBLICK Paul Souders:
Auf mich gestellt 294

FRAGMENTE 302

GESCHICHTEN **Kreativ sein 314**

CHRONOLOGIE 320

Literaturliste 328
Beitragende 330
Zitatquellen 331
Bildnachweis 332
Über den Autor 333
Dank 333
Register 334

Einleitung

Tel-El-Kebir

Ch. Clint Chief

Flair of Bowland

Ch. Portencross Prince

Runlee Peter Pan

Ch. Basford Revival Replica

»Ich mag Hunde. Sie sind sympathisch. Sie sind nett. Sie verlangen keine Abzüge.«

Elliott Erwitt

MANCHMAL HEISST ES, die Fotografie sei das verbreitetste und wichtigste Medium der zeitgenössischen visuellen Kultur. Gleichzeitig ist das Überangebot sein schlimmster Fluch. Verzeihen Sie also bitte, wenn ich diese Geschichte mit einer Milliarde von Hunden beginne … Hunde sind seit Tausenden von Jahren an unserer Seite und möglicherweise die ersten Tiere, die von unseren Vorfahren an ihren Lagerfeuern willkommen geheißen wurden. Sie konnten zu Jagdhelfern und Wächtern ausgebildet werden, aber es bereitete auch einfach Freude, sie um sich zu haben. In der vergleichsweise kurzen Geschichte der Fotografie, die nur etwas über 180 Jahre alt ist, sind Hunde möglicherweise die am häufigsten fotografierten Tiere. Schätzungen zufolge werden bei Instagram innerhalb von 24 Stunden über 95 Millionen Fotos und Videos hochgeladen – allein in Großbritannien sind über drei Millionen davon Hundefotos. Bezieht man all die anderen sozialen Netzwerke mit ein, so kommt man auf Milliarden geposteter Bilder. Das Paradoxe dabei ist, wie der Kurator Jeffrey Fraenkel einmal schrieb, »dass die Allgegenwart der Fotografien und die Mühelosigkeit, mit der sie betrachtet, geswiped und gelöscht werden können, uns das Sehen beträchtlich erschwert hat«.

»Die Natur malt für uns Tag für Tag Bilder von unendlicher Schönheit. Wir müssen nur Augen haben, sie zu sehen«, schrieb der englische Maler und Schriftsteller John Ruskin. Aber schauen wir tatsächlich hin? Die Fotografie kann uns die Wunder der Welt vor Augen führen, aber auch ihre Schrecken. Bilder voller Kraft, Schönheit und Anmut schenken uns Hochgefühle, aber sie zeigen uns auch unerträgliche Missstände. Die Fotografie ist ein nie endendes technisches Wunderwerk, doch wir zerstören den Planeten und benutzen – und missbrauchen – seit jeher die Tiere.

Ein Buch wie dieses könnte mit dem allerersten Tierfoto beginnen. Tatsächlich stellen wir hier viele seltene Aufnahmen vor, doch die allererste von ihnen ausfindig zu machen, ist schier unmöglich, zumal viele Bilder aus den Kindertagen der Fotografie verloren gegangen sind. War das erste fotografierte Tier vielleicht ein Pferd vor einer Kutsche auf einem Pariser Boulevard? Pferde sind wichtige Tiere, denn sie halfen den Menschen dabei, jene Welt zu schaffen, die wir kennen, indem sie Kriege und Transporte und Handel erleichterten. Oder zeigt das erste Tierfoto einen Papagei als exotisches Requisit? Den fragilen Flügel eines Insekts? Zwar sind frühe Experimente der Tierfotografie bekannt, die eigentliche Geschichte des Tiers in der Fotografie jedoch begann anders. Mit einem ganz besonderen Haustier vielleicht, mit einem königlichen Flusspferd? Mit einem ausgestopften Reiher und der Statue eines Hirschs? Einem galoppierenden Pferd oder einem in Hollywood eingesetzten Puma? Oder sogar mit einem Gorilla-Selfie?

All diese Bilder und noch mehr sind in diesem Buch versammelt. Sie entstanden aus den unterschiedlichsten Gründen und hatten die unterschiedlichsten Schicksale. Gemeinsam werden wir uns einen Weg durch den Dschungel der Aufnahmen bahnen. Manche dieser Bilder sind berühmt, andere gewollt esoterisch. Die einen stammen von berühmten Fotograf:innen, andere dagegen von vollkommen unbekannten Amateuren. Auswahlkriterium war die Absicht, die Entwicklung des Mediums zu hinterfragen und unser sich entfaltendes Verständnis für Tiere nachzuzeichnen. Denn bei den meisten Fotos kann sich ihre Bedeutung mit jeder Betrachtung verändern.

* * *

Seit Anbeginn jenes Phänomens, das wir als »Kunst« bezeichnen, bilden Menschen die Tiere ab, mit denen sie leben. Ob als Höhlenzeichnung oder als Knochenschnitzerei dargestellt, ist das abgebildete Tier gleichzeitig eine Geschichte und ein Wesen aus Fleisch und Blut. Innerhalb einer jahrtausendealten Kultur liegen die Anfänge der Fotografie nur einen Wimpernschlag zurück. Und dennoch ist sie in unserem Alltag außerordentlich präsent.

Es gibt nur noch sehr wenige Menschen, die nie oder selten fotografieren. Jeder hat ein Handy. Und Tieren begegnet man überall. Scrollen Sie einmal Ihre eigenen Fotos durch – Sie werden ganz bestimmt ein Tierfoto finden, selbst wenn Sie glauben, niemals ein Tier fotografiert zu haben. Ein Haustier vielleicht? Einen Vogel im Garten? Ein Tier im Urlaubsland am Strand? Glückliche Erinnerungen und austauschbare Memes. Milliarden von Hunden, wie schon gesagt, aber auch Hüte tragende Katzen, Ausflüge in den Zoo, Schnappschüsse von Pinguinen … Menschen wollen Tiere sehen, sie fotografieren und ihre Bilder teilen. Der Wunsch, immer wieder Tiere anzuschauen, ist stark, auch wenn sie in der freien Natur immer seltener werden. Einer kürzlich durchgeführten Studie zufolge fotografieren Haustierbesitzer ihre Tiere häufiger als ihre Familienmitglieder.

Das vorliegende Buch enthält 278 Fotografien. Sie zeichnen die gesamte Entwicklung dieses Mediums seit seinem ersten öffentlichen Auftritt 1839 nach. Also nur eine Handvoll Fotos, herausgepickt aus den Millionen von Aufnahmen, die entstanden sind, seit die Fotokultur den Globus erobert hat. Gleichgültig, ob sie kurze Augenblicke, Wunder der Natur oder den Alltag eines Haustiers abbilden: Alle hier gezeigten Bilder sind nur Sekundenbruchteile in der Geschichte der Fotografie. Zusammengezählt würden sie wohl nur für drei Minuten im Leben unseres bemerkenswerten Planeten stehen. Aus über 180 Jahren Fotografie haben wir hier nur knapp 180 Sekunden zusammengestellt. Und deshalb mussten wir sorgfältig auswählen. Sie können dieses Buch als ein etwas anderes Familienalbum ansehen, voll mit wichtigen oder aber alltäglichen Bildern, die sowohl für die Geschichte der

Antoine Claudet, handkolorierte Daguerreotypie, London, um 1856
–
Claudet wurde 1853 zum Mitglied der Royal Society erkoren und zu Königin Victorias Hoffotografen ernannt. Sein Atelier und Ausstellungsraum in der Regent Street Nr. 107, wo dieses Bild entstand, waren als »Tempel der Fotografie« bekannt. Einen Monat nach seinem Tod im Jahr 1867 wurde sein Atelier bei einem Brand zerstört, und mit ihm leider die meisten seiner Aufnahmen.

Daniel Szalai, *Novogen*, 2017
–
Szalai porträtierte eine Reihe
von Novogen-White-Hennen,
eine genetisch modifizierte
Hühnerrasse. Deren Eier werden bei der Herstellung von
Impfstoffen und anderen phar-
mazeutischen Produkten verwendet.

technischen Entwicklung stehen, die diese Art von Bildern möglich machte,
als auch für den Wandel in unserer Einstellung zu Tieren. Mir geht es nicht
nur darum, wie eine Aufnahme gemacht wurde, sondern um das Warum.
Diese Sammlung veranschaulicht menschlichen Einfallsreichtum, technisches Können, Mut und Neugier. Sie spiegelt Faszinationen, unser wachsen-
des Einfühlungsvermögen, aber auch unser Nichtwissen über alles, was
Tiere betrifft. Sie spricht auch vom Nicht-Sehen, vom Ignorieren von Wirk-
lichkeit, vom absichtlichen Wegschauen. Jahr für Jahr schießen wir mehr
Fotos von Tieren, und dennoch leiden Tiere auf unserem Planeten schlimmer als jemals zuvor in der Geschichte der Menschheit.

* * *

Wir Menschen haben der Natur entsetzlichen Schaden zugefügt. Laut dem
britischen State of Nature Report 2019 ist jede siebte Art in Großbritannien
vom Aussterben bedroht. Forschende ermittelten, dass drei Milliarden Vögel
(30 Prozent der Gesamtpopulationen) aus Nordamerika verschwunden sind.
Die Zahl ausgestorbener Arten steigt so stark, dass der Biologe E. O. Wilson
Alarm schlägt: Seiner Ansicht nach treten wir in das Eremozän ein, das Zeitalter der Einsamkeit. Wir Menschen machen nur 0,01 Prozent aller Lebewesen aus, rotteten jedoch seit Anbeginn menschlicher Kultur 83 Prozent aller
wild lebenden Säugetiere aus. Erschreckend, wenn wir uns die aktuelle Ver-
teilung von Säugetieren auf unserem Planeten anschauen: Über 60 Prozent
von ihnen sind Nutztiere, größtenteils Rinder und Schweine. 34 Prozent sind
Menschen, und nur vier Prozent wild lebende Tiere. Was die Vögel betrifft,
so entfallen 70 Prozent ihrer Gesamtpopulation auf Zuchtgeflügel.

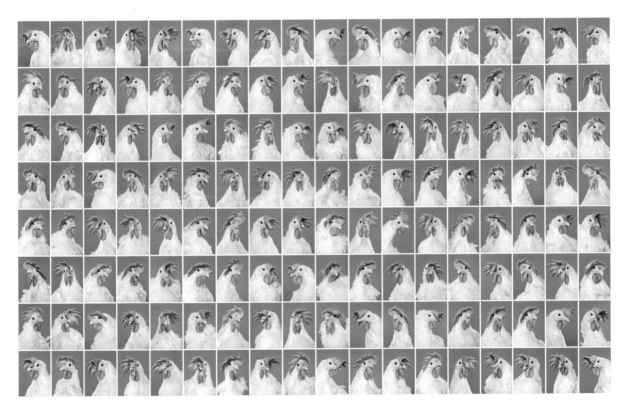

Weltweit gibt es über 20 Milliarden Hühner, die unseren unstillbaren Bedarf nach Eiern und Chicken Nuggets stillen müssen. Mit den vor ungefähr 8000 Jahren domestizierten Waldvögeln haben diese genetisch modifizierten und patentierten Lebewesen nur noch wenig gemein. Sie leben in Anlagen, in denen sie weder die Sonne noch den Himmel oder Gras zu sehen bekommen. Fotografen, Filmemacher und Aktivisten engagieren sich für sie, um die Aufmerksamkeit der Öffentlichkeit auf sie zu lenken und auf die fragwürdige Logik unserer Lebensmittel- und Pharmaindustrie aufmerksam zu machen. Dennoch interessieren sich die wenigsten Konsumenten für diese Themen. Dabei sind wir alle betroffen.

»Bilder von unendlicher Schönheit«, schrieb Ruskin, und wir sollten uns öfter an seine Worte erinnern und genauer hinschauen. Gleichzeitig müssen wir uns bewusst machen, dass die Natur keine unendlich verfügbare Ressource ist. In der Wissenschaft ist vom »Verlust an Biodiversität« die Rede – ein eigentlich geschmackloser Euphemismus für die Vernichtung nicht menschlichen Lebens. Es wird wirklich höchste Zeit, dass wir uns mit diesen unangenehmen Wahrheiten beschäftigen und die Fotografie als Waffe einsetzen. »Die Wahrheit ist das beste Bild, die beste Propaganda«, stellte der Kriegsreporter Robert Capa fest. Unser Planet Erde ist das einzige Zuhause, das wir haben. Diese Krise erfordert eine neue Art von Kreativität.

Viele Fotograf:innen fotografieren deshalb Tiere, weil sie einerseits über die Bedrohung wild lebender Tierarten verzweifelt, andererseits aber bemüht sind, neue Publikumsschichten für die Wunder der Natur zu begeistern und Erfolgsstorys zu verbreiten, die uns Hoffnung machen können. Um es mit den Worten des amerikanischen Naturfotografen Richard Misrach zu sagen: »Schönheit kann ein sehr wirkungsvoller Vermittler schwieriger Ideen sein. Sie spricht Menschen an, die sonst wegschauen würden.«

»Die Leute schießen Milliarden von Katzenfotos, auf denen ihre Katzen meistens Kostüme tragen. Finden Sie, ich sollte Ausstellungen von Katzenfotos organisieren?«

John Szarkowski

* * *

Ein Delfinbaby wird aus dem Meer gezogen, und der Anblick lockt Scharen von Touristen an. Sie drängeln einander, um möglichst nahe am Wasser Selfies mit dem Delfin zu schießen. Es handelt sich um einen La-Plata-Delfin, also ein Tier einer stark gefährdeten Art. Ein Foto eines Exemplars wurde 2016 in der Zeitschrift *TIME* im Kontext eines Artikels abgedruckt, in dem es um die einflussreichsten Tiere des Jahres ging. Nachdem die Touristen das Delfinbaby eine Weile lang untereinander weitergereicht haben, lassen sie es im Sand verenden.

Unter den in dem *TIME*-Artikel aufgeführten Tieren waren einige, die besondere Schicksale erlitten und deshalb Namen erhielten. So zum Beispiel Cecil, ein afrikanischer Löwe, der von einem Zahnarzt aus Minnesota

Roxana Dulama, Pitzush, die Fashionista-Katze, 2016
-
Die Nebelung-Katze Pitzush wurde von der rumänischen Zahnärztin und Bloggerin Dulama adoptiert. Mit einer Schleife und den mittels Photoshop hinzugefügten Wimpern geschmückt, entzückt Pitzush auf Instagram ihre Follower.

Eastman Kodak, Reklame,
1900
–
George Eastmans Kodak-Kamera
kam 1888 auf den Markt, zusammen mit dem neu erfundenen
Rollfilm. Endlich brauchten die
Fotografen keine schweren Kis-
ten mit Platten und Chemikalien
mehr mit sich herumzuschleppen. Die leichte und einfach zu
bedienende Kodak No. 1 wurde
sofort zu einem Verkaufshit.

erlegt worden war. Oder der in Gefangenschaft lebende Schwertwalbulle Tilikum, Held des Dokumentarfilms *Blackfish* (2013). Uncle Sam, ein ameri-kanischer Weißkopfseeadler, der bei einem Fototermin mit einem Präsiden-ten posieren musste. Suraj, der Indische Elefant, der viele Jahre in einem Hindutempel angekettet gewesen war, bis Tierfreunde ihn retteten. Grumpy Cat, der Internetstar mit Millionen von Followern. Feten, ein Stier, der zahl-reiche Kämpfe in der Arena Las Ventas in Madrid überlebte, bis er schließ-lich doch durch ein Matadorschwert starb. Otto, eine skateboardbegeisterte Bulldogge aus Peru. Und eine Gruppe von Ziegen aus China, die genetisch modifiziert worden waren, damit sie dickere Muskeln und längeres Fell ent-wickelten – zum Nutzen der Fleisch- und der Wollindustrie. Und so fort – es gäbe noch viele weitere Beispiele.

Ähnlich traurig machen einen Schlagzeilen wie: »Mann von Elefant zu Tode getrampelt«, »Mann von Bär verletzt«, »Frau in Arizona von Jaguar angegriffen« oder »Mann in China von Walross ertränkt«. All diese Tragö-dien ereigneten sich bei der Aufnahme von Selfies.

Ist es Dummheit, die die Menschen dazu treibt, derart leichtsinnig ihr Leben zu riskieren? Liegt es daran, dass die Natur den Menschen von heute weniger wirklich vorkommt? Oder ist es, wie manche meinen, einfach nur Liebe, und diese Menschen liebten die Tiere einfach so sehr? Vielleicht liegt es eher daran, dass Menschen Fotos zu sehr lieben. Was auch immer der Grund gewesen sein mag, diese Unfälle sind allesamt Symptome einer beunruhigenden kulturellen Entwicklung. Und sie hängen mit einem Ver-halten zusammen, das für Tiere letztendlich gefährlich ist, egal, ob sie wild oder in Gefangen-schaft leben. Die betroffenen Tiere werden ge-wöhnlich auf irgendeine Weise bestraft oder weiterhin gequält, vielleicht auch eingefangen und umgesiedelt oder aber sogar getötet. Und das alles nur wegen der menschlichen Sucht danach, ein Foto zu machen.

* * *

Warum wir Tiere fotografieren soll Fotofans dazu anregen, mehr über die Bilder nachzudenken, die sie machen. Natürlich gibt es beim Fotografieren wie bei jedem anderen kreativen Akt die unter-schiedlichsten Absichten. Viele frühen Fotografen waren Jäger, bevor sie die Waffen zu Hause ließen und zur Kamera griffen. Es ist nur natürlich, wenn sich die Motivationen im Laufe einer Karriere ver-ändern, und man kann Bilder auf sehr unter-schiedliche Weisen einsetzen.

Durch das Medium der Fotografie können wir die sozialen, symbolischen, wissenschaftlichen und ästhetischen Aspekte von Tieren ausloten. Porträts geliebter Haustiere, Studien von Wildtie-ren in ihren natürlichen Lebensräumen oder sogar Dokumentationen von menschlicher Grausamkeit

gegenüber Tieren können Schönheit und Freude betonen, Angst oder Wut oder sogar Engagement anregen und sogar die Einstellung zu unserer Umwelt verändern. Und dann gibt es natürlich auch noch unzählige Tierfotos, die einfach nur niedlich sind, was absolut nichts Schlimmes ist.

Technologischer Fortschritt ermöglicht es, Bilder zu schaffen, die vor nur wenigen Jahren unmöglich gewesen wären: hohe Auflösung, Fotofallen, Fernbedienungen und Drohnen sind nur einige dieser Hilfsmittel. Wir können heutzutage mit Smartphones Aufnahmen erzielen, die ebenso meisterlich wie Fotografien auf Glasplatten sind. Das digitale Zeitalter veränderte die Tierfotografie in wesentlich stärkerem Maße als alle anderen Genres dieser Kunst – vor allem bei Unterwasser-Fotosafaris, bei denen man nach 36 Aufnahmen nicht mehr auftauchen muss, um den Film zu wechseln.

Dank der Aufnahmegeschwindigkeit von Digitalkameras erhalten wir noch nie zuvor beobachtete Einblicke in das Verhalten von Tieren, während digitale Sensoren das Fotografieren selbst bei schwächstem Licht ermöglichen. Die in der Szene meist unterschätzte Tierfotografie sollte in einer Art neuer Kunstgeschichte endlich den ihr gebührenden Platz zugesprochen bekommen, denn Spitzenfotograf:innen setzen ihr Können ein, um die Öffentlichkeit auf drängendste Umweltfragen aufmerksam zu machen. So lässt die Fotografie uns Menschen die Wunder der Tierwelt nachvollziehen. »Niemand wird das schützen, was ihm gleichgültig ist«, wie David Attenborough oft betonte, »und niemand wird sich um etwas kümmern, das er nie erlebt hat«. Die Fotografie kann unseren Horizont erweitern und unsere Sinne wecken, indem sie uns hilft, die unendliche Komplexität tierischen Lebens zu entdecken. Aber wie sagte Ruskin doch gleich? »Wir müssen nur Augen haben, um zu sehen.«

(Oben) John Downer Productions, animatronische »Spy creatures«, 2017
-
John Downers aufwendig produzierte TV-Serie *Spione im Tierreich* setzte ferngesteuerte Tierattrappen mit hoch auflösenden Kameras als Augen ein. Sie ermöglichten bisher noch nie dagewesene Tieraufnahmen.

(Rechte Seite) Cherry und Richard Kearton beim Fotografieren von Vogelnestern in hohen Hecken in den Yorkshire Dales, 1896
-
Die Brüder Kearton setzten die fortschrittlichste Ausrüstung ihrer Zeit sowie geniale Hilfsmittel wie ausziehbare Stative und Leinwandplanen ein.

(Folgende Doppelseite) Adam Oswell, Khao Kiew Zoo in Thailand, 2019
-
Besucher fotografieren einen Elefanten bei einer Schwimm-Show. Oswells preisgekröntes Foto regt dazu an, diese ausbeuterische Industrie kritisch zu hinterfragen.

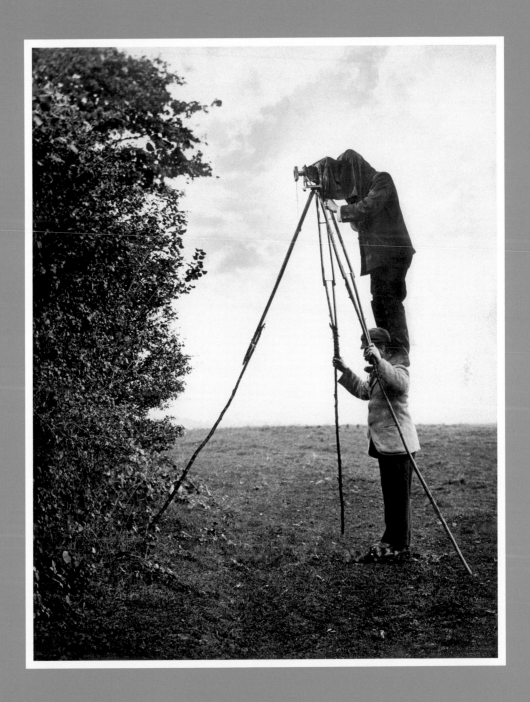

Unendlicher Sturm

»Wenn wir den Globus als einen großen, mit Kontinenten und Inseln gemusterten Tautropfen ansehen, der gemeinsam mit singenden und glänzenden Sternen durch den Weltraum fliegt, dann erscheint uns das Universum als ein unendlicher Sturm der Schönheit.«

John Muir

Don Juan, Graf von Montizón, »Das Flusspferd im Zoo, Regent's Park«, 1852

–

Obaysch war das erste Flusspferd des Londoner Zoos und soll täglich bis zu 10 000 Besucher angelockt haben.

TAUSENDE VON MENSCHEN kommen, um ihn zu sehen. Er wurde als Baby vom Nilufer verschleppt, gefesselt, in einen Käfig gesperrt. Seine Eltern haben sie erschossen. Doch das ist nicht die Geschichte, die dem Publikum erzählt wird. Das erfährt nur, dass er jetzt eingetroffen ist, als Geschenk des Vizekönigs von Ägypten an Königin Victoria. Ein Schaufelraddampfer brachte ihn nach England, wo er den Namen Obaysch erhält, nach der Flussinsel, auf der er gefangen wurde. Es heißt, er sei das erste Flusspferd, das seit der Zeit der Römer nach Europa gelangte. Nun ist er eine Trophäe, die im Herzen einer zunehmend globalen Stadt vorgeführt wird. Manche sprechen schon von »Hippomanie«.

»Immer noch rennen alle in den Regent Park, und er quittiert Neugier mit gleichgültigem Gähnen«, heißt es 1850 im Satireblatt *Punch*. Einer von Obayschs zahlreichen Bewunderern ist Don Juan, Graf von Montizón, ein spanischer Adeliger und eifriger Fotograf. Wir werden niemals herausfinden, warum er an jenem Tag das Flusspferd fotografierte. Wir können nur annehmen, dass er gern Tiere beobachtete. Taten ihm die eingesperrten Tiere leid oder ging er einfach nur seinem Hobby nach? Die Gelassenheit des Flusspferds könnte einen weiteren Anreiz dargestellt haben, denn weil es sich nicht bewegt, wird die Aufnahme scharf.

Die Industrieländer treiben den technischen Fortschritt voran und entwickeln Gefallen am Exotischen. Immer effizientere Verkehrsmittel lassen die Welt schrumpfen, wer genügend Geld und Muße hat zu reisen, kann sich Erlebnisse gönnen, die für die vorangehende Generation unvorstellbar gewesen wären. Für die meisten Menschen aber ist das Leben in der Mitte des 19. Jahrhunderts hart, ungesund, gar entmenschlicht. Der Fortschritt ist wie eine Flut, die Identitäten und Orientierungen mit sich fortspült. Und Obaysch, der Flusspferdbulle? Er bekommt zweimal täglich zu fressen, Lieder über ihn werden geschrieben, die Massen ziehen an seinem Gehege vorbei, und er wird fotografiert. Die Jahre vergehen. Ob Obaysch und seine Flusspferdfamilie zu den Privilegierten gehören? Zumindest wurden sie nicht erschossen und ausgestopft, wie Millionen anderer Tiere in jenem Jahrhundert. Hat er Glück, im Zoo zu leben? Vielleicht. Aber was für ein Leben ist das?

1839 gilt als das erste große Jahr der Fotografie. Die Bekanntgabe, dass es nun zwei Verfahren für das Fixieren eines direkt in der Natur aufgenommenen Bildes gibt, versetzt England und Frankreich in helle Aufregung, und bald verbreitet sich die Neuigkeit auch in der übrigen westlichen Welt. Nach zahllosen Experimenten gelingt es dem Pariser Theatermaler Louis Jacques Mandé Daguerre, ein Bild auf eine mit Silber beschichtete Kupferplatte zu bannen. Auf der anderen Seite des Ärmelkanals stellt der englische Gentleman William Henry Fox Talbot ein Negativ-Positiv-Verfahren vor, das Abzüge auf Papier ermöglicht und zur Grundlage der modernen Fotografie wird. Beide Verfahren führen zu einem Schritt, der dem Zeitgeist der Epoche entspricht: Das Aussehen der Natur kann präzise eingefangen und so für die Nachwelt erhalten werden.

Trotz ihrer anfänglichen Beliebtheit weist die Daguerreotypie eine ganze Reihe von Nachteilen auf, die zur Folge hat, dass sie bald von anderen Aufnahmetechniken verdrängt wird. Häufig bezeichnet man sie deshalb sogar als Fehlstart der Fotografie. Ihre Belichtungszeiten waren einfach zu lang, und obwohl sich diese irgendwann von Stunden- auf Minutendauer verkürzten, ist die Bandbreite der Sujets doch arg eingeschränkt. In ihren frühen Jahren sind Tiere praktisch ausgeschlossen, weil sie sich bewegen. Dennoch gibt es ein paar wenige Tier-Daguerreotypien.

Talbots Negativ-Positiv-Verfahren bringt die Wende. Es ermöglicht, von einer einzigen Aufnahme zahlreiche Kopien anzufertigen, und fördert damit den Aufstieg der Fotografie zum Massenprodukt. Talbot hat mit seinen Experimenten während seiner Hochzeitsreise 1833 in Italien begonnen, hält

»Kein Mensch hat je zuvor solche Linien gezogen, wie diese Zeichnungen sie zeigen. Und was dem Menschen noch alles gelingen wird, nun, da Madame Natur zu seiner Zeichenlehrerin geworden ist, lässt sich nur schwer vorhersagen.«

Michael Faraday

Louis Daguerre, *Muscheln und Fossilien*, 1839
–
In den Kindertagen der Fotografie war es hilfreich, wenn sich die Modelle während der langen Belichtungszeit nicht bewegten. Die Ammoniten in der Bildmitte, von denen wir heute wissen, dass sie von lange ausgestorbenen Kopffüßern stammen, wurden von frühen Fossilienfreunden für versteinerte zusammengerollte Schlangen gehalten. Viele dieser Exponate sind Millionen von Jahre alt, Zeugen einer Zeit ohne Menschen.

Joseph-Philibert Girault de
Prangey, »Nahe Alexandria in
der Wüste«, panoramische
Daguerreotypie, 1842
–
Auf seiner langen Reise, die ihn
durch Griechenland, Syrien,
Palästina und Ägypten führte,
besuchte de Prangey antike
Ruinen und fotografierte als
Erster viele dieser Weltwunder.

seine Forschungsergebnisse jedoch zunächst geheim. Erst Daguerres
Verlautbarung veranlasst ihn, seine eigene Erfindung bekannt zu machen:
die Talbotype oder Kalotype; Letzteres bedeutet: »schönes Bild«.

Talbot setzt präpariertes, lichtempfindliches Papier ein und erzeugt
damit in der Kamera ein Negativbild, das später in einem Druckrahmen
über einen frischen präparierten Papierbogen gelegt wird. Nach der Belichtung entsteht ein Kontaktabzug, der mithilfe von Kochsalz fixiert wird. Am
25. Januar 1839 präsentiert Talbot in der Londoner Royal Institution erstmals
seine Bilder. Sein Freund, der bedeutende Naturforscher Michael Faraday,
macht die parallel erfolgten Erfindungen bekannt und schreibt: »Kein
Mensch hat je zuvor solche Linien gezogen, wie diese Zeichnungen sie zeigen. Und was dem Menschen noch gelingen wird, nun, da Madame Natur
zu seiner Zeichenlehrerin geworden ist, lässt sich nur schwer vorhersagen.«

Gern werden in diesen frühen Tagen der Fotografie präparierte Objekte aufgenommen. Dabei wirft ein Sonnenmikroskop einen starken Lichtstrahl auf einen Glasträger. Talbot gelingt es, die Flügel einer Gepunkteten
Laternenträgerzikade zu fotografieren, und 1844 nutzt Léon Foucault dieses
Verfahren, um Bilder von menschlicher Muttermilch, Mäusesperma und
den Blutkörperchen eines Froschs zu machen. Hippolyte Fizeau experimentiert ebenfalls mit dem neuen Medium und präsentiert »makroskopische
Ansichten« von Bettwanzen.

Im weiteren Verlauf des Jahres 1839 baut Talbot seine Mappe aus. Er
bereitet seine zweite und größte Ausstellung vor, die anlässlich des Jahrestreffens der British Association for the Advancement of Science stattfindet,
zu dem bis zu 1500 britische Amateurforscher kommen. Mit insgesamt
93 Exponaten veranschaulicht Talbot die Vielseitigkeit seines Verfahrens.
Später verfasst er ein Buch, *The Pencil of Nature* (»Der Bleistift der Natur«),
das ab Juni 1844 in sechs Teilen erscheint – der erste Fotobildband, der auf
den Markt kommt und einer neuen Generation von Fotograf:innen eine
visuelle Sprache schenkt. Es ist eine Reklame für eine neue Kunst und
gleichzeitig ihr Manifest.

In Übersee machen sich ein paar wenige verwegene Fotografen an die
Arbeit. 1842 begibt sich Joseph Philibert Girault de Prangey auf eine Reise

Daguerreotypien, 1850–1856

—

In den frühen 1850er Jahren gab es in den
meisten nordamerikanischen und europäischen Großstädten auf Daguerreotypien
spezialisierte Ateliers. Die lange Belichtungszeit über still zu halten, war schon für Menschen nicht leicht, geschweige denn für
Hunde oder Adler. Jede Bewegung hatte ver-
schwommene Konturen zur Folge. Haustiere,
prämiertes Vieh, der Elefant eines Wander-
zirkus – sie alle sind kostbare Schätze der
Geschichte der Fotografie.

durch den östlichen Mittelmeerraum, um muslimische Architektur zu studieren. Drei Jahre später kehrt er mit über tausend Daguerreotypien nach Frankreich zurück – und hat damit das erste Fotoarchiv der Welt geschaffen. In der Nähe von Alexandria fotografiert er ein Dromedar. Zwar ist das Bild unscharf, doch lässt sich das Dromedar deutlich erkennen und zählt so zu den ersten fotografierten lebenden Tieren.

1852 begibt sich der deutsche Bankierssohn Ernest Benecke in den Mittelmeerraum. Leider sind nur wenige seiner Bilder erhalten, doch befindet sich darunter das faszinierende Bild eines Krokodils an Deck des Boots, mit dem Benecke in Oberägypten unterwegs war. Der Bauch des an Bord gehievten Tiers ist aufgeschlitzt. In Anbetracht dessen, dass es noch über 40 Jahre dauern sollte, bis Handkameras aufkamen und neue Filmtypen diese Art von Schnappschüssen möglich machten, ist es eine wirklich bemerkenswerte Aufnahme, selbst wenn die Gesichter der beiden Männer auf dem Bild unscharf sind.

Die Expedition von John Franklin nimmt 1845 als erste eine Kamera in die Arktis mit, doch seine beiden Schiffe verschwinden spurlos, und es gibt keine Überlebenden. Als Edward Inglefield im Sommer 1854 in den hohen Norden aufbricht, führt er, *The Times* zufolge, »eine vollständige Sammlung der von Fotografen verwendeten Gegenstände mit, um die Natur der Polarregionen abzubilden«. Doch die Tiere der Arktis sind scheu. Eine kleine Auswahl seiner Fotografien auf Glas überlebt. Sie entstanden, als seine Schiffe an der Westküste Grönlands entlangsegelten. Auf dem Porträt eines Jägers mit seinem Kajak ist eine tote Robbe zu sehen; sie ist aufgeblasen, damit der Jäger sie mit dem Kajak abschleppen kann. Lebende Tiere aber fehlen auch auf diesen Bildern.

Samuel Alexander Walker, Visitenkartenfoto der Schauspielerin Nelly Moore, 1862
–
Diese Visitenkartenfotos wurden in Briefen mitgeschickt oder im Freundeskreis ausgegeben. Wir können sie als eine frühe Form der Posts in sozialen Netzwerken ansehen.

Ernest Benecke, »Autopsie des ersten Krokodils an Bord«, Oberer Nil, Ägypten 1862
–
Die renommierteren Fotografen, die kurz vor und nach Benecke Ägypten bereisten, konzentrierten sich beinahe ausschließlich auf die antiken Bauwerke und die Landschaft. Benecke hingegen lichtete die Gegenwart ab und sammelte ungekünstelte Einblicke in den Alltag der Einheimischen.

In Daguerres Todesjahr 1851 bricht in der Geschichte der Fotografie eine neue Ära an. Die sensationelle Erfindung, die alle bisher existierenden Methoden verdrängen sollte, ist Frederick Scott Archers Kollodium-Nassplatte. Bei diesem Verfahren muss der Fotograf die Platte mit Kollodium überziehen, sie belichten und anschließend sofort entwickeln, solange sie noch nass ist. Obwohl nicht ganz einfach in der Handhabung, ist es doch das schnellste bisher erfundene Verfahren und erfreut sich rasch großer Beliebtheit. Zwar muss der Fotograf immer noch eine Dunkelkammer und eine Kiste voller giftiger Chemikalien mit sich herumschleppen, was das Fotografieren an abgelegenen Orten natürlich erschwert, doch bleibt es dennoch bis etwa 1880 immer noch die am häufigsten eingesetzte Methode. Sogar heutzutage werden vereinzelt noch Kollodium-Nassplatten verwendet.

Nachdem man entdeckt hatte, dass Eiweiß sich gut als Beschichtung von Fotopapier eignete und die Goldchloridlösung erfunden wurde, tauchen immer mehr Fotografien auf. Bald kann man Papier mit Eiweißüberzug fertig kaufen, und die Porträtfotografie avanciert zu einem Massenphänomen. Der Bedarf an Eiweiß steigt derartig an, dass in den 1850er Jahren die industrielle Hühnerhaltung aufkommt, und als die Nachfrage nach billigen Visitenkartenfotos ihren Höhepunkt erreicht, werden von einer einzigen Londoner Firma über eine halbe Million Eier pro Jahr verbraucht. 30 Jahre später revolutioniert Kodak die Amateurfotografie – nun »frisst« der US-amerikanische Fotomarkt 300 Millionen Eier im Jahr.

Während Talbots Patent im Juli 1852 erlischt, wird die Perfektionierung des Kollodiumverfahrens weiter optimiert – und das Fotografieren avanciert zum beliebten Zeitvertreib. 1854 wird die London School of Photography gegründet, und um 1861 gibt es bereits mehr als zwei Dutzend Fotografenvereinigungen. Die Fotografie findet immer mehr Einsatzgebiete. In Archäologie, Architektur und den neu aufkommenden Naturwissenschaften, darunter Meteorologie und Mikroskopie, wird sie zu einem wichtigen Medium der Dokumentation. Königin Victoria lässt in Schloss Windsor eine Dunkelkammer einrichten und soll unter Anleitung von Prinz Alberts Bibliothekar Dr. Becker in der »schwarzen Kunst« sehr geschickt geworden sein.

William Bambridge wird als offizieller Hoffotograf engagiert. Neben zahllosen Porträts fotografiert er auch Victorias Hunde und die Hirsche im Park von Schloss Windsor. 1860 begründet Victorias Miniaturporträt die

John Dillwyn Llewelyn,
Die Lewitha, Eiweiß-Silberdruck, 1856
–
Llewelyn, ein Cousin Talbots, machte in den Wäldern seiner Ländereien in Penllergare, Wales, experimentelle Fotos, bei denen ihm ausgestopfte Tiere aus seiner eigenen Sammlung Modell standen: ein Reiher, ein Otter und dieser Rothirsch.

Mode des Visitenkartenfotos und löst in London ein Fotografiefieber aus. Die Königin entwickelt sich zu einer eifrigen Fotosammlerin. Mit der Zeit finden Drucke und Radierungen ihrer Fotoporträts Eingang in die Wohnräume, Schulen und Bahnstationen des British Empire.

1858 wird die Zeitschrift *Stereoscopic Magazine* gegründet, die ihren Abonnenten in jeder Nummer »Raumbilder« präsentiert. Aufnahmen von kanadischen Wäldern, Alpenlandschaften und dem Nil bringen die Schönheit der Natur ins Wohnzimmer. Der 1860er Katalog der London Stereoscopic and Photographic Company führt mehr als 100 000 vorrätige Karten an; über eine halbe Million von ihnen wurden bereits verkauft. Im selben Jahr erfahren Zeitungsleser von einer amerikanischen Erfindung, die über 12 000 Stereografien pro Stunde druckt – Anbruch einer schönen neuen visuellen Welt.

* * *

In Amerika entdecken Fotografen Landschaften, die wilder sind als alles, was Europa zu bieten hat. Im Sommer 1861 bricht Carleton Watkins auf, um die Yosemite-Region zu fotografieren. Skizzen und ehrfurchtsvolle Beschreibungen ihrer herrlichen Panoramen hatten den Osten Nordamerikas bereits in den 1850er Jahren erreicht, doch nichts begeistert das Publikum mehr als Watkins' in einer New Yorker Galerie ausgestellten Aufnahmen. »Die Ansichten von majestätischen Bergen, gigantischen Bäumen, Wässerfällen … sind unbeschreiblich einzigartig und schön«, schreibt die *New York Times*. 1868 wird Watkins bei der Pariser Weltausstellung mit einer Medaille für Landschaftsfotografie ausgezeichnet, und 1876 zeigt er seine Arbeiten im Rahmen der Centennial Exposition in Philadelphia. In seiner »Yosemite Art Gallery« kann man großformatige Bilder der Pazifikküste bestaunen, sowie »tausend der besten Stereografien«.

Der Wunsch, Tiere zu fotografieren, wird zu einem Antriebsmoment für den Fortschritt in der Fotografie. Vor 1890 konnten aufgrund der eingeschränkten technischen Möglichkeiten nur Haus- und Nutztiere aufgenommen werden sowie gefangene oder getötete Wildtiere. 1865 gelingt es Frank

(Oben) William Bambridge, »Hirsch in Park von Schloss Windsor«, Glasplattennegativ, 1854

–

Bambridge wurde von Königin Victoria zum Hoffotografen ernannt und fotografierte über zehn Jahre lang ihre Kinder und Haustiere, königliche Jagden und Besucher ihrer Schlösser.

(Unten links) Carleton Watkins, Seelöwen auf den Farallon-Inseln vor San Francisco, um 1870

–

Watkins durchkämmte Kalifornien auf der Suche nach interessanten und gewinnträchtigen Motiven. Eine Zeit lang hatte er damit Erfolg, bis ein Brand sein Atelier zerstörte. Er starb mittellos in einem Irrenhaus. Nur zwei Monate nach seinem Tod gründete US-Präsident Woodrow Wilson den National Park Service, der jene herrlichen Landschaften schützen sollte, die Watkins den Amerikanern gezeigt hatte.

WATKINS' PACIFIC COAST,
22 & 26 Montgomery St., opposite Lick House entrance, San Francisco.

Photographic Views of California, Oregon and the Pacific Coast, generally—embracing Yosemite, Big Trees, Geysers, Mount Shasta, Mining, etc., etc. Views made to order in any part of the State or Coast.

Haes, im Londoner Zoo Tiere zu fotografieren: Das schlafende Flusspferd lässt sich leicht ablichten, doch bald wagt sich Haes an einen Wolf und einen Adler und porträtiert ein Zebra und eine Robbe. Zusammen mit einem Tierpfleger betritt er den Innenbereich des Löwengeheges und wird von einem Beutelwolf fast ins Bein gebissen. Im Bestreben, die ungezähmte Natur einzufangen, überschreiten Fotografen Grenzen. 1867 trotzt Timothy O'Sullivan in Nevada »gefräßigen und giftigen Moskitos« und dringt mit Pferdewagen und Booten in die entlegensten Ecken der USA vor. John Hillers erkundet den Grand Canyon. Laton Huffman dokumentiert in den 1880er Jahren die letzten frei umherstreifenden Bisonherden. Später ermöglichen das trockene Gelatineverfahren, schnelle Verschlusszeiten und Teleobjektive Aufnahmen, die man lange für unmöglich gehalten hat.

Da wäre z. B. Reginald Lodge, den manche für den Urheber des ersten Fotos eines Wildvogels halten. Ihm gelingt 1895 die damals spektakuläre Aufnahme eines mit Eiern gefüllten Kiebitznests, über dem ein Auslösedraht gespannt ist. Lodge und sein junger Assistent Oliver Pike schieben eine 30 x 25 Zentimeter große Plattenkamera auf einer Schubkarre durch die englischen Landschaften. Lodge wird Gründungsmitglied der 1899 ins Leben gerufenen Zoological Photographic Society, während Pike bald seine eigene Birdland-Kamera entwickelt. Sie ist handlich genug, um bei der Vogelbeobachtung eingesetzt zu werden, und so klein, dass sie in eine andere Erfindung hineinpasst: in ein statisches Versteck, das es dem Fotografen ermöglicht, sich nahe bei den Tieren aufzuhalten.

Weitere wichtige Mitglieder dieses Clubs sind Richard Kearton und sein Bruder Cherry, die Pionierarbeit auf den Gebieten der Standfotografie und der bewegten Bilder leisten. Die beiden schaffen einige der frühesten erhaltenen Naturfotos, darunter die Aufnahme eines Singdrosselnests mit Gelege, die sie im April 1892 ausstellen. Das erste durchgehend mit Fotos illustrierte Werk über Tiere ist ihr Buch *British Birds' Nests*, das im selben Jahr erscheint, in dem Lodges Kiebitzfoto entsteht. 1897 verraten die Keartons in ihrem Buch *With Nature and a Camera*, welche Tricks und Ausrüstungsgegenstände sie anwendeten. In der Folge ziehen Scharen von Amateurfotografen in die Natur hinaus.

(Oben) Laton Alton Huffman, »Nach der Jagd«, nördliches Montana, 1882

–

Anders als die amerikanischen Ureinwohner töteten die europäischen Einwanderer und ihre Nachkommen Bisons in großer Zahl, behielten nur Kopf und Fell als Trophäen und ließen den übrigen Kadaver verrotten. Dieses Foto wurde später verwendet, um auf das Aussterben der Bisons und die Notwendigkeit des Schutzes von Wildtieren hinzuweisen.

(Rechts) Reginald Lodge, Brütender Kiebitz, 1895

–

Lange Zeit galt dieses Bild als erstes Wildvogelfoto. Inzwischen aber wissen wir, dass dieser Titel eher Caleb Newbolds 1873 aufgenommenen Felspinguinen gebührt, oder aber Ottomar Anschütz' Bewegungsstudien von Störchen aus dem Jahr 1884.

Polarexpeditionen führten oft Fotoausrüstungen mit, die Fotografie bot die Möglichkeit, Landschaften und Menschen auf eine neue Weise festzuhalten und zu sehen. Die Fotografie war eine Technologie der Macht und gleichzeitig eine künstlerische Form von Neugier. Unter den Dokumentationen, die Teilnehmer solcher Expeditionen veröffentlichten, finden sich auch frühe Fotografien wild lebender Tiere. Der amerikanische Maler William Bradford etwa mietet 1869 das Dampfschiff *Panther*, um vor Labrador und Grönland zu kreuzen. Die Arktis kennt er aus eigener Anschauung, doch für diese Reise engagiert er die beiden Bostoner Atelierfotografen John Dunmore und George Critcherson. Bradford weiß, dass die Fotos ihm bei der Schaffung seiner Gemälde von Nutzen sind, sich aber auch als Geschenke für potenzielle Kunden und als Werbematerial eignen. Der Fleiß seiner Fotografen wird mit einer Fülle lohnender Sujets belohnt. Im Licht der Mitternachtssonne entdecken sie eines Tages eine Eisbärmutter mit zwei Jungen:

> »In diesem Augenblick stürzten die Fotografen an Deck und baten um das Recht des »ersten Schusses«. Blitzschnell war die Kamera in Stellung gebracht, eine Platte mit einem kleinen Loch wurde vor die Linse geschoben, und die Bärenfamilie konnte aus einer Entfernung von knapp 200 Metern aufgenommen werden, was nur dank großen fotografischen Geschicks möglich wurde. Die Kamera war auf dem Vorschiff aufgebaut, und die Aufnahme entstand, während sowohl Schiff als auch Tiere in Bewegung waren.«

John Dunmore und George Critcherson, »Jagd mit dem Dampfschiff in der Melville-Bucht«, 1869

–

Die auf dieser Reise entstandenen Fotos wurden später in William Bradfords *The Arctic Regions* abgedruckt. »Die Jäger nach einem sportlichen Tag: Innerhalb von 24 Stunden töteten sie sechs Eisbären«, erläutert die Bildunterschrift.

Was danach geschieht, ist ausgesprochen unromantisch: Alle drei Bären werden erschossen, und Jäger und Beute werden vor dem Schiff fotografiert. So traurig diese Geschichte auch ist, so wichtig sind die entstandenen Bilder, die ältesten erhaltenen Aufnahmen wild lebender Tiere.

Obwohl die Existenz dieser Fotos bekannt ist, wird häufig das Bild einer kleinen Gruppe von Pinguinen als erste Wildtierfotografie bezeichnet. Es entsteht 1873 auf der Reise der *Challenger*, einer von der Royal Society organisierten und von George Nares und dem Naturforscher Charles Thomson geleiteten wissenschaftlichen Expedition, die die moderne Ozeanografie begründet. Unter anderem untersucht und kartiert sie den Meeresboden und sammelt Tausende von Tier- und Pflanzenexemplaren. Das Schiff ist mit einem Labor und sogar einer kleinen Dunkelkammer ausgestattet. Für das Fotografieren zuständig ist der von William Abney an der School of Military Engineering ausgebildete Korporal Caleb Newbold. Leider wissen wir nichts über die Ausrüstung, doch ist anzunehmen, dass auf Abneys Empfehlung das Kollodium-Nassplattenverfahren angewendet wird.

Am 16. Oktober 1873 fotografiert Newbold Felspinguine auf Inaccessible Island nahe Tristan da Cunha im Südatlantik, und ganz bestimmt ist ihm damit das erste Pinguinfoto gelungen. Allerdings bleibt ihm wenig Zeit, diesen Triumph zu feiern: In Kapstadt geht Newbold von Bord und wird eiligst durch Frederick Hodgeson ersetzt, der sich allerdings als nicht seefest entpuppt, und daraufhin von Jesse Lay, der auf der gesamten Rückfahrt nach England auf der *Challenger* bleibt. Hodgeson gelingen viele Naturfotos, die in dieser Zeit noch als Sensationen gelten: Aufnahmen von Albatrossen, die auf Marion Island im Indischen Ozean nisten, und von einem Termitennest auf der Kap-York-Halbinsel. Die Fotografien dienen auf dieser Reise aber auch dazu, Aufzeichnungen, Skizzen und Gemälde festzuhalten, und auf

Caleb Newbold, »Nördliche Felsenpinguine inmitten von Gras und Felsbrocken«, Inaccessible Island 1873

–

Auf der Expedition mit der HMS *Challenger* wurden zahlreiche Tierarten zum ersten Mal fotografiert.

Landgängen werden den besuchten Honoratioren gern feierlich Abzüge überreicht.

George Nares verlässt die *Challenger* nach der Hälfte ihrer Reise, um das Kommando über eine andere Arktisexpedition zu übernehmen. Mit den Schiffen *Discovery* und *Alert* hält er zwischen 1875 und 1876 Kurs auf Ellesmere Island und erreicht einen wesentlich nördlicheren Punkt als jede frühere Expedition. Mittlerweile ermöglicht das Trockengelatineverfahren das Fotografieren bei extremer Kälte. Die fertig beschichteten Platten können belichtet und dann an Bord entwickelt werden. George White und Thomas Mitchell gelingt eine Serie faszinierender Aufnahmen, die der Expedition großes Ansehen verschaffen. Sie werden auf einem Versorgungsschiff nach England gebracht und als Vorlage für Stiche verwendet, die in illustrierten Beilagen von *The Graphic und Illustrated London News* erscheinen. Die Fotografie ist zu einem Medium geworden, das riesige Entfernungen überbrückt, und die Leser können Woche für Woche mit Arktisbildern erfreut werden.

Obwohl es den von Skorbut geschwächten Expeditionsteilnehmern nicht gelingt, den Pol zu erreichen, werden sie zu Hause mit großem Jubel empfangen. Die Bilder ihrer Reise erfahren starke Verbreitung, werden mitunter sogar auf den Titelseiten gezeigt, sie zieren Souvenirbroschüren und gemalte Platten für die Laterna Magica. Tiere treten nur als Jagdtrophäen auf, in Gestalt eines harpunierten Walrosses und des Kopfs eines Moschusochsen. Hauptmotive sind Schiffe, Eis, Schlittenfahrten und Landschaften. Abzüge werden als »Fotomechanische Reproduktionen« verkauft, während Königin Victoria für ihre stetig wachsende Sammlung eine in rote Seide gebundene Schachtel voller Fotos erhält.

1884 wird das erste flexible Negativ hergestellt, was zu einer weiteren umwälzenden Veränderung der Fotoausrüstung führt. Einige Jahre später stellt George Eastman die »Original Kodak« vor; den Namen hatte er ausgewählt, weil er »überall auf der Welt ausgesprochen werden kann«. Die Kamera ist klein, mit einer einzigen Verschlusszeit von 1/25s und einem fixierten Fokus, aber auf zweifache Weise revolutionär: Sie ist billig, und es ist leicht, mit ihr zu fotografieren. Eine Schnappschusskamera für die breite Masse, beworben mit dem Slogan: »Sie drücken den Knopf, wir erledigen den Rest.«

Die zur Jahrhundertwende auf den Markt gebrachte und nur einen Dollar teure Kodak Brownie demokratisiert die Fotografie, die zur mobilsten und am leichtesten zugänglichen visuellen Form aufsteigt. Allein in dem

George White und Thomas Mitchell, »Franklin Pierce Bay, 79°25'N«, 1875
–
Der Eis-Quartiermeister der HMS *Alert* posiert mit dem Walross, das er soeben harpuniert hat.

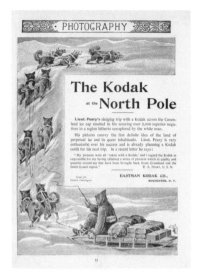

ersten Jahr nach ihrer Einführung werden weltweit über 100 000 Exemplare verkauft, die Hälfte davon in Europa. »Jetzt hat jedes Kind eine Brownie. Ein Foto ist ebenso gewöhnlich wie eine Streichholzschachtel«, klagt der Fotograf Alvin Coburn. Natürlich wollen nicht alle Fotografen das Entwickeln einer Fabrik überlassen, doch die massenproduzierte Kodak bietet den Fotografen die Wahl. Der begeisterte Amateurfotograf und professionelle Zyniker George Bernard Shaw meint: »Der Fotograf ist wie ein Kabeljau, der eine Million Eier legt und hofft, dass aus einem was wird.« Von nun an können Kameras überallhin mitgenommen werden, und sie halten alles fest.

Der Forschungsreisende Robert Peary rüstet sich mit dieser leichten Kamera aus und erfreut seine Sponsoren mit Fotos der Arktis und ihrer Bewohner. Er kommt so gut zurecht, dass er sogar ein Buch verfasst: *The Kodak at the North Pole*, mit Sicherheit das erste Fotohandbuch der Welt. Eastman lässt es zu Werbezwecken drucken. Natürlich gibt es auch noch andere Forschungsreisende und andere Apparate. Zu den besten Fotografen unter ihnen zählt Herbert Ponting, der offizielle Fotograf von Robert Falcon Scotts inzwischen berühmter letzten Expedition, die 1910 zur Antarktis aufbricht. Ponting sieht sich als »Kamerakünstler« und nimmt einige der ersten Farbplatten mit auf die Reise, Erzeugnisse der Lumière-Werke in Lyon.

In fotografischer Hinsicht ist dies wohl die am besten ausgerüstete Expedition, die jemals England verließ. Die Fotoapparate für die Schlittenpartien sind eigens von Newman & Guardia konstruierte Sibyl-Modelle und besonders kompakt und robust. Die Kinematograf-Kamera von Newman & Sinclair verfügt über einzigartige Tessar-Objektive und die neuartige Reflexfokussierung, die einen reibungslosen Betrieb gewährleistet. Obwohl Ponting auf der Reise nach Süden die meiste Zeit über seekrank ist, verkündet er beim Anblick der Eisberge, so glücklich wie noch nie zuvor zu sein.

Die Lebensbedingungen im Basislager sind sehr hart. Das Wasser gefriert in den Kanistern, Haut bleibt an gefrorenem Metall kleben, und das Fotografieren im Freien bringt Frostbeulen ein. Dennoch meistert Ponting seine Arbeit und schafft eindrucksvolle Studien von Eisbergen, Porträts von Hunden, Pferden und Menschen

MR. PONTING IN THE ANTARCTIC

sowie atemberaubende Bilder von einer Expedition an der Grenze zum Unmöglichen. In Scotts Tagebuch wird er oft gelobt: »Seine Ergebnisse sind ausgezeichnet, und falls es ihm gelingt, sein ganzes Programm durchzuführen, werden wir über eine in der Geschichte der Forschungsreisen einzigartige Fotoberichterstattung verfügen.«

Scotts Vertrauen in Ponting ist begründet, denn dieser belichtet gut 7600 Meter Film und 2000 Fotonegative. Auf diese Weise schafft er einige der beeindruckendsten Antarktisaufnahmen aller Zeiten, deren Schönheit und Komposition Ihresgleichen sucht.

* * *

Manchmal frage ich meine Studenten und Studentinnen: »Was haben Sturmwellen bei Dover, ein Hahnenkampf, die letzten Rennsekunden beim Epsom Derby und ein boxendes Känguru gemeinsam?« Die richtige Antwort lautet: Sie alle sind die ersten wirklich »natürlichen« Sujets bewegter Filmaufnahmen und entstanden 1895. Die ersten Filme sind stumm und in Schwarzweiß; viel später werden Ton und Farben eingeführt. Und natürlich gewinnt das bewegte Bild in unserer visuellen Welt zunehmend an Bedeutung. Ebenso wie bei der Fotografie sind die größten Probleme technischer Natur: Eine Filmkamera, die Ausrüstung für das Entwickeln und ausreichend Filmrollen zu transportieren, stellt eine gewaltige Herausforderung dar, doch die Fotograf:innen schrecken vor Neuerungen nicht zurück, und ebenso wenig ihre Sponsoren, denn schließlich kann man mit Filmen ein Vermögen verdienen.

Die Experimente, die Eadweard Muybridge in den 1870er Jahren durchführt, erweitern den Blick des Fotografen: Er kreiert eine Sequenz von Bildern eines galoppierenden Pferds, um zu beweisen, dass in einer Galoppphase alle Hufe in der Luft sind. In den folgenden Jahren wendet Muybridge diese

»Die kleinen architektonischen Versuche wuchsen zu monumentalen Darstellungen einer Größe, Wahrhaftigkeit und Schönheit, die keine Kunst übertreffen kann: Tiere, Blumen, Gemälde, Drucke, sie alle können vom Fotografen erfasst werden.«

Elizabeth Eastlake

(Unten links) Eadweard Muybridge, *Das Pferd in Bewegung*, Souvenirkarte, 1878
–
1872 erhielt Muybridge den Auftrag, eine Fotosequenz eines galoppierenden Pferds anzufertigen, als Beweis dafür, dass in einer Galoppphase alle vier Hufe gleichzeitig in der Luft sind.

(Rechts oben) Osa Johnson reitet in der Nähe des Mount Kenya ein Zebra, 1921
–
In einer Aufnahme, die als Werbung für den Film *Trailing Wild Animals* (»Wilden Tieren auf der Spur«, 1923) verwendet wurde, reitet Osa ein gezähmtes Zebra namens Bromar. Bei der Entstehung des »echten Naturfilms« wurden viele Tiere getötet. Dennoch finanzierte das American Museum of Natural History die Johnsons weiter, damit sie noch mehr Filme drehen konnten.

(Rechts) William und Charles Martin, ein Eber-Lippfisch in den Gewässern der Florida Keys, 1926
–
Um dieses Foto schießen zu können, wurde die Kamera in eine wasserfeste Hülle gesteckt. Auf einem über ihr treibenden Floß befand sich das hoch explosive Magnesiumpulver, das für einen mächtigen Blitz sorgen sollte.

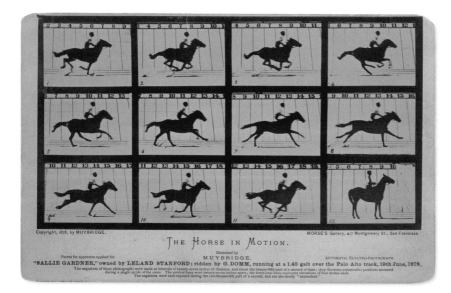

y

THE HORSE IN MOTION.
Illustrated by
MUYBRIDGE.
"SALLIE GARDNER," owned by LELAND STANFORD; ridden by G. DOMM, running at a 1.40 gait over the Palo Alto track, 19th June, 1878.
Copyright, 1878, by MUYBRIDGE.
MORSE'S Gallery, 417 Montgomery St., San Francisco.

Technik bei weiteren Pferden sowie bei Hunden, Schweinen, Tauben und sogar Hirschen an. Möglicherweise sind diese Hirsche die ersten jemals gefilmten wild lebenden Tiere.

Muybridge besucht mit seiner Ausrüstung 1884 den Zoo von Philadelphia und »filmt« einen Tiger dabei, wie er einen Büffel angreift und tötet. Der Akt ist für die Kamera inszeniert – und somit die erste, aber natürlich nicht die letzte Simulation in der Geschichte des Tierdokumentarfilms. Muybridge setzt seine Arbeit an der University of Pennsylvania fort und veröffentlicht 1887 sein Buch *Animal Locomotion*. 1893 präsentiert er auf der Weltausstellung in Chicago »zoopraxographische« Vorführungen, und die Zuschauer sehen »Vogelschwärme am Himmel fliegen, wobei jede einzelne Flügelbewegung erkennbar ist«.

Ottomar Anschütz experimentiert ebenfalls mit Bewegungsfotografie, wobei er eine Handkamera mit einem Rolltuch-Schlitzverschluss sowie lichtempfindliches Negativmaterial einsetzt. Eine 1884 entstandene Fotoserie von fliegenden Störchen zählt zu den frühesten Bewegungsfotografien, und seine Pferdestudien werden von Künstlern als Vorlage genutzt. Anschütz entwickelt Maschinen, die das Betrachten einer Fotoserie auf Glasplatten ermöglichen, und später auch auf Zelluloid oder Karton gedruckte Bilder. Sein »Elektrischer Schnellseher« begeistert die Besucher der Weltausstellung in Chicago 1893. Die Sequenzen zeigen Bewegungsabläufe von Hunden und Pferden, einen fliegenden Storch, eine springende Ziege, ein laufendes Kamel und einen Mann, der einen Elefanten reitet.

1903 beginnt Charles Urban mit seinen »Bioskop-Expeditionen«, die ihn in ferne Weltgegenden führen, wo er dramatische Szenen, die Bräuche von Ureinwohnern und exotische Tiere ablichtet. Außerdem begründet er

eine Serie von »Mikro-bioskopischen Filmen«, die Wunder der Natur sichtbar machen, wie etwa Martin Duncans *Cheese Mites* (»Käsemilben«) und *Circulation of Blood in a Frog* (»Kreislauf des Bluts in einem Frosch«). 1907 nimmt Dr. Adam David auf seine Safari am Fluss Dinder einen Kameramann mit und produziert den möglicherweise ersten Dokumentarfilm über die afrikanische Tierwelt. Auf der »Luftsafari«, auf der Martin und Osa Johnson ihren Dokumentarfilm *Baboona* drehen, legen sie Tausende von Kilometer zurück. Ihre beiden Sikorski-Flugboote sind mit Zebrastreifen bzw. dem Netzmuster des Giraffenfells bemalt.

John Ernest Williamsons illuminierte Fotografien, die ihm 1913 in der Chesapeake Bay gelingen, ermutigen ihn dazu, es auch mit bewegten Bildern zu versuchen. In den klaren Gewässern vor den Bahamas macht er von einem kleinen Tauchboot aus, das er »Photosphäre« nennt, die ersten Unterwasserfotos. Die Geburtsstunde der Unterwasser-Farbfotografie schlägt 1926, als die Aufnahme eines Eber-Lippfischs in den Gewässern der Florida Keys gelingt. William Longley und der bei *National Geographic* angestellte Fotograf Charles Martin statten sich mit wasserdichten Kameras und hochexplosivem Magnesiumpulver aus, um unter Wasser belichtete Bilder zu schießen. Doch erst viel später, in den 1950er Jahren, etabliert sich die Unterwasserfotografie. Der Fotograf Luis Marden begleitet 1956 den inzwischen legendären Meeresforscher Jacques Cousteau auf einer Reise auf Cousteaus Schiff *Calypso*, die von Toulon zum Suezkanal führt. Nach dieser Fahrt hat Marden 1200 Fotos, die bisher größte Sammlung farbiger Unterwasseraufnahmen.

* * *

Lassen Sie uns nun in die Polarregionen zurückkehren. Frank Hurleys sensationeller 35-Millimeter-Film, der während Ernest Shackletons versuchter Antarktisdurchquerung von 1914 bis 1916 entstand, ist einer der besten seiner Art. Als ihr Schiff *Endurance* kentert, kann Hurley noch etliche seiner Filme und Glasplattennegative retten, sowie ein Album voller fertiger Abzüge. Auch nachdem er seine Ausrüstung auf ihrem Eisschollenlager zurücklassen musste, fotografiert er mit seiner Handkamera weiter, einer Vest Pocket Kodak. Die Entdeckungsreise dieses Expeditionsteams wird zu einem epischen Kampf ums Überleben.

Die meiner Ansicht nach besten Tieraufnahmen aber stammen von Hurleys erster Südpolreise, zu der er 1911 zusammen mit Douglas Mawson aufbricht. Erste Station ist die Macquarieinsel in der wilden Subantarktis. Hurley ist über die dortigen Seevogelkolonien begeistert. »Hätte ich genügend Platten und Filme, dann könnte ich den Rest meines Lebens hier verbringen«, schreibt er. Unter welch extremen Bedingungen er weiter südlich Tiere fotografierte, erläutert Mawson ausführlich in seinem Buch *The Home of the Blizzard* (1915). Über Hurley meint Mawson später: »Er ist einer jener Menschen, für die Gefahr die Würze des Lebens darstellt, einer von denen, die sich größten Strapazen aussetzen, um ihr Ziel zu erreichen.«

Hurley verfügt über Eigenschaften, die in der Fotobranche auch heute noch von Vorteil sind: Zähigkeit und technisches Können, Sturheit und Flexibilität sowie Mut kombiniert mit Kreativität. Im Laufe des Jahrhunderts werden die Kameras immer besser und schneller, was den Fotografierenden den Umgang mit Bewegung wesentlich erleichtert. Dennoch bleibt es wichtig, langsam und leise vorzugehen. So manch ein Jäger tauscht sein Gewehr gegen eine Kamera, während in der Wissenschaft die neue Technik genutzt wird, um den Geheimnissen der Natur auf den Grund zu gehen. Künstler:innen und Forschungsreisende, Hobbyfotograf:innen und Profis arbeiten auf unterschiedlichste Weise mit Objekt und Bild. Tierfotograf:innen widmen sich ihrer Kunst aus vielfältigen Gründen: um zu experimentieren oder zu bilden, um zu beweisen oder festzuhalten, um zu unterhalten oder für etwas zu werben. Ihnen allen gemeinsam ist, dass ihre Bilder die Betrachtenden entzücken und zum Staunen bringen. Ein »unendlicher Sturm« von Wundern, der umso stärker weht, je mehr sich die Tiere aus unserem Leben zurückziehen.

(Rechts) Frank Hurley, Adeliepinguine nach einem Blizzard auf Kap Denison, 1912

–

Auf der Australasiatischen Antarktis-Expedition von 1911 bis 1914, die durch Douglas Mawsons Buch *The Home of the Blizzard* berühmt wurde, schoss Hurley eine große Anzahl Fotos. Er kehrte fünfmal in die Antarktis zurück.

(Folgende Doppelseite) Frederick William Bond, Amerikanische Alligatoren im Londoner Zoo, 1928

–

Das 1926 eröffnete neue Reptilienhaus des Londoner Zoos wurde von der Kuratorin Joan Procter in Zusammenarbeit mit dem Architekten Sir Edward Dawber entworfen. Mit Spezialglas, einer Heizung, gemalten Terrarienhintergründen und gezielt ausgerichteten Scheinwerfern galt es zu seiner Zeit als eines der fortschrittlichsten Zoogebäude der Welt.

Florian Ledoux

FLORIAN LEDOUX *ist ein französischer Fotograf und Dokumentarfilmer. 2018 wurde er zum SIPA-Drohnenfotografen des Jahres ernannt, 2020 war er Sieger des Wettbewerbs TTL Fotograf des Jahres. Seine Arbeiten erscheinen in vielen Zeitschriften, darunter* Le Figaro, Paris Match, National Geographic *und* TIME. *Außerdem war er an zwei größeren TV-Projekten beteiligt: an dem Disney-Dokumentarfilm* Polar Bear *und der BBC-Serie* Frozen Planet 2.

Erinnern Sie sich, welches das erste Tier war, das Sie fotografiert haben? Eine Biene auf einer Blüte im Garten meiner Eltern, mit meinem ersten Fotoapparat. Damals wusste ich noch nicht, dass Tiere und die Natur in meinem Leben eine so große Rolle spielen würden.

Haben Sie ein Lieblingsfoto, das Sie selbst aufgenommen haben? Mein absolutes Lieblingsbild ist das eines von oben aufgenommenen Eisbären, der schmelzendes Eis durchquert. Ich liebe vor allem ästhetische Luftaufnahmen, die wild lebende Tiere in ihrer Umgebung zeigen und eine wichtige Botschaft übermitteln.

Haben sie jemals Ihre Kamera für ein Foto riskiert? Bestimmt habe ich das, aber denken wir an das mögliche Risiko, wenn wir Gelegenheit bekommen, ein ausdrucksstarkes Foto zu schießen? Sich im arktischen Winter im Freien aufzuhalten, ist für Menschen ohnehin gefährlich. Angesichts der geografischen Lage gehört das Risiko einfach zum Alltag. Wenn man mit einem Schneemobil auf dem Eis unterwegs ist, kann das Eis brechen. Die Arktis ist ein Lebensraum, der sich ständig verändert. Es toben dort furchtbare Stürme, aber dennoch arbeiten wir dort und verlassen uns auf unsere Erfahrung. Großartige Fotos zu machen, bedeutet, Grenzen zu überwinden, sowohl mentale als auch physische.

Wie sieht das Tierfoto aus, von dem Sie träumen? Ich habe eine Menge Ideen, doch im Lauf der Jahre habe ich gelernt, dass ich mich von der Natur leiten lassen und offen sein muss. Beim Fotografieren achte ich immer darauf, was mir die Natur anbietet. Wenn man Fotos vor der Aufnahme konzipieren will, erlebt man meist Enttäuschungen. Die Erfahrung hilft, die Natur zu deuten und zu wissen, was einen in einem speziellen Ökosystem erwartet. Man muss beobachten, verstehen, sich anpassen, um etwas schaffen zu können. Ich habe gelernt, dass es wichtig ist, sich dem Rhythmus der Natur und dem Augenblick zu überlassen. So erreiche ich jene magische Zone, in der ich mich mit meiner Umgebung und der Natur stärker verbunden fühle. Auf jeder Expedition finde ich ein bisschen mehr über die Natur und das Verhalten von Tieren heraus. In diesem Winter auf dem Eis habe ich Verhaltensweisen erlebt, die ich niemals für möglich gehalten hätte. Das liegt daran, dass die Natur und die Ökosysteme sich verändern.

Hat ein Tierfoto Sie jemals dazu veranlasst, Ihr Leben zu hinterfragen? Das Foto eines Orang-Utans in Borneo zwang mich dazu, über mein Leben nachzudenken und darüber, wie wir Menschen den Planeten beeinflussen. Das Tier auf dem Bild klettert auf einem Baum herum, der als einziger nach einer Abholzung stehen geblieben ist. Es hat eine sehr deutliche Botschaft. Es veranlasste mich dazu, mich mit meinem ökologischen Fußabdruck zu befassen und mit der Frage, wie ich ihn verringern kann, und es bewirkte, dass ich mir mehr Gedanken über das mache, was ich esse und was ich so alles benutze.

Oft heißt es, die Fotografie könne die Welt verändern. Würden Sie das bestätigen? Auf jeden Fall, Bilder können faszinieren und in uns Gefühle wecken. Ein Foto kann für jene sprechen, die keine Stimme haben. Fotos zeigen uns alte Fehler und neue Wege auf. Die Fotografie ist das Gedächtnis der Menschheit. Bilder sprechen eine universelle Sprache, die uns alle erreicht, ganz unabhängig davon, welche Kulturen, Traditionen und Religionen unser Leben bestimmen. Ich betrachte die Tierfotografie als eng mit der Wissenschaft und dem Naturschutz verbunden. Etwas tief in uns drinnen bringt uns dazu, Tiere zu fotografieren.

(Oben) Eisbär durchquert schmelzendes Eis, Nunavut, Kanada, 2017
(Folgende Doppelseite) Krabbenfresser ruhen sich nach der Jagd auf
Eisflößen aus, Antarktis, 2018

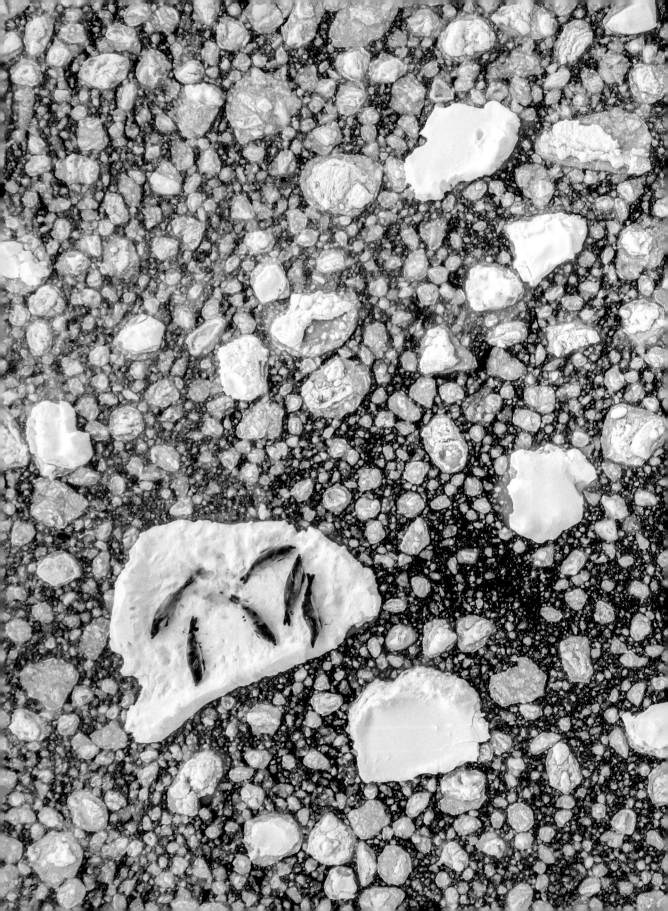

Walrosskolonie, Spitzbergen, 2020

Ingo Arndt

INGO ARNDT *verbrachte schon als Kind jede freie Minute draußen in der Natur und entschied sich als Erwachsener für ein Leben als professioneller Fotograf. Sein Bilderbuch* Zeigt her eure Füße! *und sein Bildband* PumaLand. Im wilden Patagonien *erhielten beide den World Press Photo Award.*

Erinnern Sie sich, welches das erste Tier war, das Sie fotografiert haben? Das war ein Eisvogel. Ich war noch ein Kind, sehr naiv und ging mit meiner Kamera und einem 135-Millimeter-Objektiv auf ihn zu. Er flog natürlich weg. Beim nächsten Versuch legte ich vor meinem Versteck Fische aus und hatte damit Erfolg. Die Eisvögel lebten in einem Wald in der Nähe meines Elternhauses. Ich fuhr fast täglich mit dem Fahrrad dorthin, bei jedem Wetter.

Gibt es ein Foto oder eine Serie, die Sie besonders interessant fanden? 2005 erschien *The Last Place on Earth* von Michael Nichols, ein Buch voller Fotos, für die Nichols sein künstlerisches Talent mit modernen Hilfsmitteln kombinierte. Dank neuer Technologien konnte er auf die Teleobjektive verzichten, die das Sujet vergrößern und dabei flach erscheinen lassen. Er setzte normale Objektive mit besonderer Ausleuchtung ein. Seine Bilder bringen uns Menschen Wildtieren näher als jemals zuvor.

Was hoffen Sie zu erreichen? Ich genieße das Glück, in einer Welt zu leben, in der es immer noch einige »intakte« Wildnisregionen gibt. Und das Glück, als Tierfotograf viele von ihnen besuchen zu dürfen. Ich halte es für meine Pflicht, in Bildern festzuhalten, was kommende Generationen nicht mehr erleben werden. Es bricht mir das Herz, wenn ich sehe, wie wir Menschen die Welt verändern und zerstören. Natürlich will ich mehr, als nur zu dokumentieren. So hoffe ich, dass meine Fotos auch Kunst sind und dass sich möglichst viele Menschen an ihnen erfreuen. Die Fotografie ist außerdem für den Umweltschutz ein wirklich nützliches Instrument. Wenn ich Menschen zeigen kann, wie herrlich die Natur ist, und wenn ich selbst ein wenig zu ihrem Schutz beitrage, würde mich das sehr glücklich machen.

Hat ein Tierfoto Sie jemals dazu veranlasst, Ihr Leben zu hinterfragen? Fotos von industrieller Tierhaltung bewirkten, dass ich nur noch selten Fleisch esse, und wenn, dann nur regionales Wildbret. Was wir Tieren antun, um unseren Hunger nach Fleisch zu stillen, finde ich beschämend.

Wissen Sie, ob eines Ihrer Fotos positive Auswirkungen hatte? Bei meinem letzten Auftrag ging es um Wildbienen. Ich habe das Verhalten einer Gruppe von Tieren dokumentiert, die wir in großen Mengen als Honigproduzenten halten. Ich glaube, dass meine Fotos Bienenhalter dazu anregen können, die Imkerei zu hinterfragen.

Oft heißt es, die Fotografie könne die Welt verändern. Würden Sie das bestätigen? Auf jeden Fall! Die Fotografie leistet zwar nur einen kleinen, dafür aber einen umso wichtigeren Beitrag. Mit eindrucksvollen Fotos kann man viele Menschen ansprechen, und so sind sie ein wichtiges Instrument im Kampf für den Erhalt der Natur.

Gibt es ein Tierfoto, das Sie für Ihr bisher bestes halten? Der Puma, der ein Guanako jagt. Ohne diese Aufnahme wäre die Bildgeschichte nicht vollständig, es ist das »Schlüsselbild«, das ich brauchte, um die Lebensgeschichte des Pumas abzurunden.

Möchten Sie unseren Leser:innen noch etwas sagen? Immer wieder heißt es: »Die Natur wird ohne uns überleben.« Das ist sicher nicht falsch, aber ist es nicht unsere Pflicht, die Tiere und Pflanzen zu schützen, die gemeinsam mit uns diesen Planeten bewohnen? Haben wir tatsächlich das Recht, zahllose Arten auszurotten? Wie kann ein Lebewesen so eigensüchtig sein, dass es sich über alle anderen stellt, so wie wir es tun?

Ein Puma greift ein Guanako an, Torres del Paine, Chile, 2017

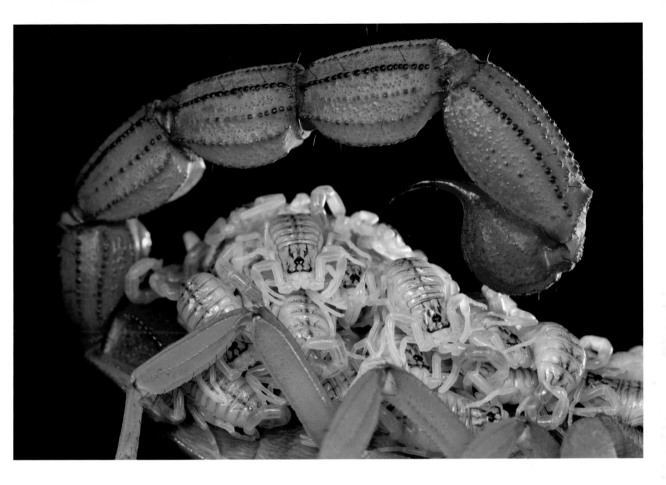

»Fotografie friert den Augenblick ein. Sie bietet uns die Möglichkeit, inne zu halten und uns in einer Welt, in der sich alles bewegt, in der alles immer schneller wird und in der alles so rasch verschwindet, auf einen Moment zu konzentrieren.«

Ingo Arndt

(Links) Honigbienen kolonisieren die Baumhöhle eines Schwarzspechts, Deutschland, 2019
(Oben) Ein Dickschwanzskorpionweibchen trägt seinen Nachwuchs mit sich herum. Unter kontrollierten Bedingungen 2008 in einer deutschen Zucht aufgenommen, 2008

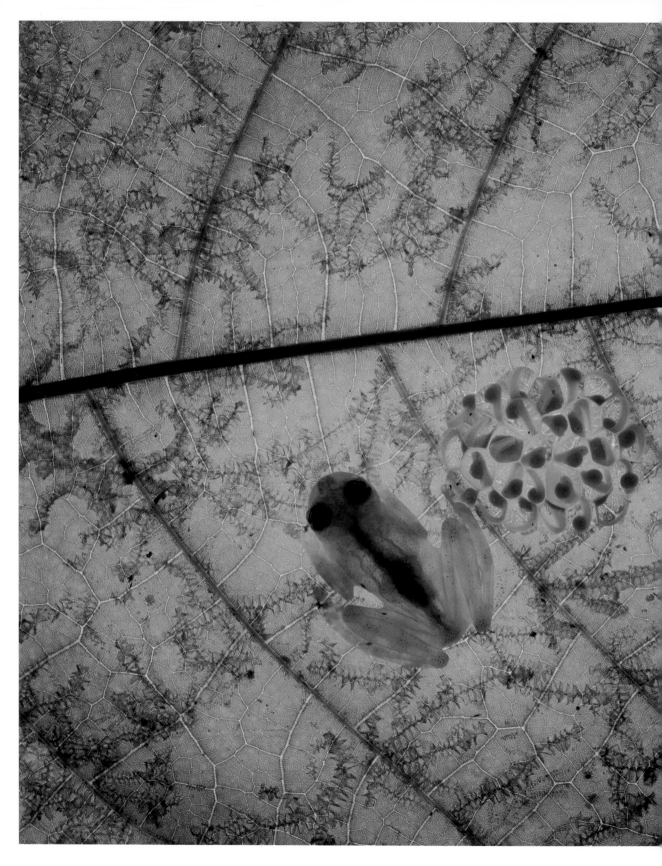

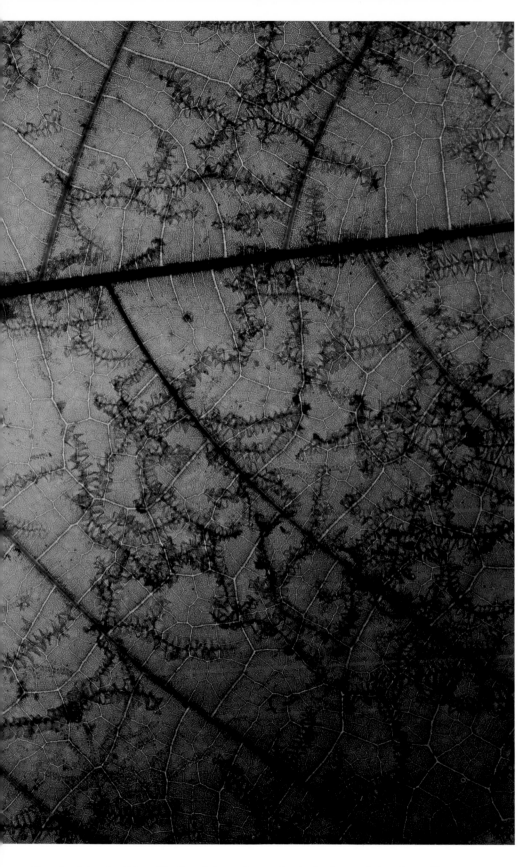

Ein männlicher La-Palma-Glasfrosch bewacht von ihm befruchteten Laich, Costa Rica, 2012

Traer Scott

TRAER SCOTT *ist eine hervorragende Kunst- und Werbe-fotografin und Autorin von 14 Büchern. Ihre Arbeiten werden international ausgestellt und in* National Geo-graphic, LIFE, Vogue, *der* New York Times *und Dutzen-den anderen Print- und Online-Medien abgedruckt.*

Gibt es ein historisches Foto, das Sie sehr bewundern? Ich bin von dem berühmten Beutelwolf-Foto besessen, das 1930 entstand. Ich finde es furchtbar traurig und beklemmend, dieses Tier gefangen zu sehen und zu wissen, dass es das letzte seiner so eigentümlichen Art war.

Gibt es ein Foto oder eine Fotoserie, die Sie besonders interessant fanden? Ich schwärme ganz besonders für Ami Vitales Arbeit mit Pandas. Meiner Ansicht nach ist dies einer der besten Fotoessays, die jemals aus der modernen Mensch-Tier-Beziehung hervorgegangen sind.

Und warum fotografieren Sie Tiere? Tiere machen mich zum Menschen. Wahrscheinlich bin ich nicht diejenige, die diesen Satz erfunden hat, aber er beschreibt treffend einen wichtigen Teil von mir. Weil das Engagement für Tierrechte und Tierwohl in meinem Leben seit jeher eine große Rolle spielen, ist es nur logisch, dass ich mich beruflich irgendwann auf Tiere konzentrierte. Ich brauchte eine Weile, um mich von den Vorurteilen der Kunstszene zu lösen und die Klischees über Tiere hinter mir zu lassen, mit denen wir bombardiert werden. Dann aber wurde mir bewusst, welche Kraft und welchen Einfluss ein gutes Projekt haben kann.

Was hoffen Sie zu erreichen? Mein Ziel ist so ziemlich immer das gleiche: die Wahrnehmung von nicht-menschlichen Tieren und die Meinung über sie positiv zu beeinflussen und zu Empathie und Mitgefühl anzuregen. Porträts können zeigen, wer Tiere sind. Nicht indem sie vermenschlicht werden - denn wenn man sie mit Menschen vergleicht, wertet man sie unwei-gerlich ab -, sondern indem man ihre individuellen, einzigartigen Eigenschaften hervorhebt, ihre emotionale Kompetenz und ihre Intelligenz.

Hat ein Tierfoto Sie jemals dazu veranlasst, Ihr Leben zu hinterfragen? Ich muss oft an Chris Jordans Albatrosbilder denken. Man kann sie nicht anschauen, ohne zu bereuen, dass wir mit unserem Plastikmüll so unverantwortlich umgehen, besonders mit den kleineren Teilen, die leicht übersehen werden. Dieses Foto regte mich dazu an, weniger Einwegplastik zu kaufen, aber ich ärgere mich immer wieder, wie wenig plastikfreie Alternativen es gibt.

Gibt es ein Tierfoto, das Sie für Ihr bisher bestes halten? Eine schwierige Frage, und vielleicht ist es nicht die richtige Wahl, aber ich finde, dass Bailee aus der Serie *Shelter Dogs* diesen Titel verdient. Es ist das Bild eines seelenvollen Hundes, der einfach nur deshalb eingeschläfert wurde, weil im Tierheim zu wenig Platz war. Die einfache Bildunterschrift »Bailee, eingeschläfert« und das Foto wirken zusammen sehr stark. Ich habe Unmengen Fotos von Hunden, die es nicht geschafft haben, und sie machen mich alle betroffen, aber obwohl viel Zeit vergangen ist, stockt mir immer noch der Atem, wenn ich dieses Foto betrachte. Es erinnert mich daran, warum ich mit dem Fotografieren angefangen habe.

Sind Tierfotos wichtig? Ausdrucksvolle Tierfotos sind sehr wichtig, weil sie anders als die seichten Memes, mit denen wir ständig überschüttet werden, zu Empathie und Engagement anregen. Meiner Ansicht nach gelten Tiere außerhalb der Wildtierfotografie erst seit ungefähr 20 Jahren als ernst zu nehmende Sujets. Nicht-menschliche Tiere auf immer dieselbe Weise zu verniedlichen, ist u. a. eine Methode, sie und ihr Leben zu marginalisieren und von den Leiden abzulenken, die wir ihnen aufzwingen. Es ist viel leichter, ein Lebewesen zu töten oder auszubeuten, wenn es in den Medien ständig nur auf Stereotype reduziert wird.

Bailee, ein Pitbull-Doggen-Mischling, der als Streuner auf Rhode Island aufgegriffen wurde, 2005

49

(Links oben) Gazelle, American Museum of Natural History, New York, 2009
(Links unten) Tiger, Academy of Natural Sciences, Philadelphia, Pennsylvania, 2010
(Oben) Bison, Yale Peabody Museum, New Haven, Connecticut, 2014

Kate Kirkwood

KATE KIRKWOOD *ist Fotografin, ihr Wohnsitz und ihr Hauptquartier ist eine Farm im englischen Lake District. In der Stadt und auf dem Land sucht sie den dramatischen Augenblick, den glücklichen Zufall.*

Welche Naturfotograf:innen bewundern Sie am meisten? Mir gefallen Arbeiten von Fotograf:innen, die nicht aufgrund teurer Ausrüstung, beschwerlicher Reisen und HDR-Technologie Erfolg haben, sondern die entweder die Grenzen des stereotypen Abenteurer-Fotografen überwinden oder aber in der Lage sind, auf alltägliche Begegnungen einzugehen. Zu ihnen zählt Stephen Gill mit seinen poetischen Arbeiten *Please Notify the Sun* und *The Pillar*. Vielleicht ist er eher ein Künstler als ein Tierfotograf, aber warum sollte man diese Bereiche voneinander trennen?

Haben Sie ein Lieblingsfoto, das Sie selbst aufgenommen haben? Eines aus meiner Serie von Kuhrücken, mit einem Regenbogen im Hintergrund. Und dann das Mutterschaf und das Lamm, die im letzten Tageslicht gemeinsam die Straße hinunterlaufen, auf einen silbrig roten Himmel zu. Falls ich noch ein drittes Bild wählen darf, dann ist es ein Schnappschuss, den ich machte, als ich beim Telefonieren aus dem Fenster schaute und die Schafe aufnahm, die sich in der Abenddämmerung unter einem Bergahorn versammelt hatten. Fotos, die Wirkung zeigen, können sich in den unterschiedlichsten Momenten ergeben - und oft dann, wenn man gar nicht nach einem Motiv gesucht hat.

Gibt es ein Foto oder eine Fotoserie, die Sie besonders interessant fanden? Ebenso wie viele andere war ich stark von Sebastião Salgados *Genesis* beeindruckt. Gleichzeitig fühlte ich mich auch unwohl dabei: die Kosten seiner Expeditionen, die Finanzierung, all die Teams, die für ihn gearbeitet hatten. Er beweist großes Mitgefühl und Einsicht, seine Bilder sind unglaublich perfekt und strahlend, das Projekt ist von geradezu epischen Dimensionen, aber alles in allem ist es mir zu sentimental. Vollkommene Bilder, die man mit dem bloßen Auge gar nicht sehen kann oder die

Durchschnittsmenschen nicht sehen können, sind zwar beeindruckend, aber gleichzeitig erzeugen sie Abstand. *Genesis* machte mich neugierig, aber ich fing an, darüber nachzudenken, ob man die Zerstörung der Natur im Anthropozän nicht auch auf eine einfachere Art darstellen kann - eher auf eine lokale Art.

Wie sieht das Tierfoto aus, von dem Sie träumen? Wären Auslandsreisen nicht so umweltschädlich, würde ich gern die enge Beziehung festhalten, die viele menschliche Gemeinschaften immer noch zu Kühen haben, und die wichtige Rolle, die Kühe für diese Familien spielen. Für uns in den reicheren Ländern ist es einfach, auf den Genuss von Fleisch oder Milchprodukten zu verzichten, weil wir uns von der Quelle dieser Lebensmittel schon so stark entfremdet haben.

Und warum fotografieren Sie Tiere? Anfangs, weil sie manchmal verfügbar und auch willig sind. Ich lebe ziemlich zurückgezogen, und als wir die erste Digitalkamera für unsere Familie kauften, waren die Tiere in meiner Umgebung die am leichtesten zugänglichen Motive - und die interessantesten. Aber wahrscheinlich ist das noch nicht die Antwort auf die Frage, warum ich es tue. Ich beschäftige mich mit den Tieren um mich herum in der Hoffnung, ihre Sensibilität und die Komplexität ihrer Gemeinschaften einzufangen und sie anderen Menschen nahezubringen.

Möchten Sie die positiven Auswirkungen beschreiben, die eines Ihrer Fotos hatte? Ich glaube, dass jedes meiner Bilder die Betrachter auf eine bescheidene Weise erfreut. Etwas, das sie wiedererkennen, oder etwas, das sie durch das Foto neu sehen, macht sie glücklich, und meistens ist das eine Aufnahme, die Tiere auf irgendeine Weise feiert. Eine zierliche Blaumeise an einer Futterstelle vor dem Hintergrund eines nassen Fensters ist ein solches Bild.

Sind Tierfotos wichtig? Fotos von Tieren erinnern uns an das, was wir sind: an unsere Sanftheit, unsere Macht, unsere Grausamkeit, unsere Gleichgültigkeit, unsere Liebesfähigkeit und auch an unsere Fürsorglichkeit.

Kuhrücken mit Regenbogen, Cumbria, England, 2010

»Fotografie wird davon motiviert,
was wir sind und was uns wichtig ist.
Bei mir ist es eine fieberhafte,
stete Wachsamkeit, die Bereitschaft,
mich den Möglichkeiten zu öffnen,
meiner Umwelt, dem Wetter, der
unglaublichen Magie einer lebendigen
Welt, die mich kurz streift.«

Kate Kirkwood

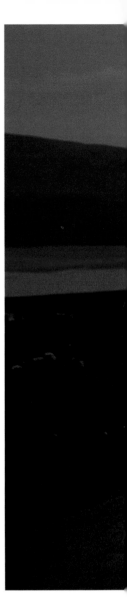

(Links) Hahn auf der Hawes Farm, Cumbria, England, 2010
(Oben) Mutterschaf und Lamm auf der Landstraße, Cumbria, England, 2012

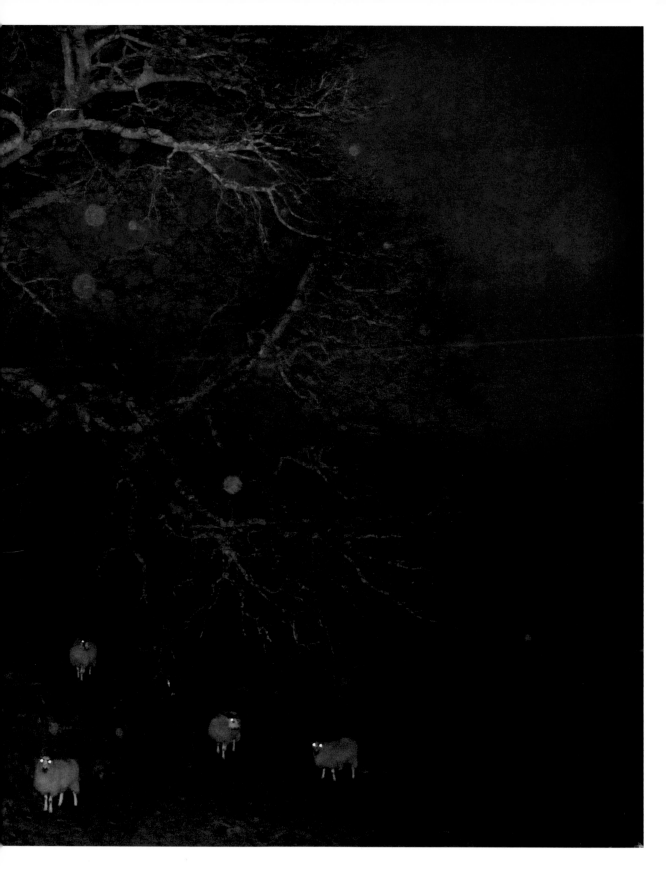

Schafe unter einem Bergahorn, Cumbria, England, 2011 57

Jo-Anne McArthur

JO-ANNE MCARTHUR *ist Fotojournalistin und Tier-rechtsaktivistin und fotografiert in aller Welt unsere komplizierte Beziehung zu Tieren. Seit 1998 hat sie mehr als 60 Länder bereist und ihre Bilder Hunderten von Organisationen zur Verfügung gestellt.*

Erinnern Sie sich, welches das erste Tier war, das Sie fotografiert haben? Das erste Foto eines nicht-menschlichen Tiers, das ich gemacht habe und das wichtig war, weil ich versucht habe, meine Sicht auf unsere Beziehung zu Tieren zum Ausdruck zu bringen, war das eines Esels im Papanack Zoo bei Ottawa. Es war eines der ersten Bilder, die meine Sorge über unseren Umgang mit anderen thematisieren.

Beschreiben Sie ein Tierfoto, von dem Sie bedauern, es nicht gemacht zu haben. Ich glaube, ich habe alle Aufnahmen gemacht, die ich tatsächlich machen woll-te. Viele waren alles andere als perfekt, illustrieren aber, wie wir mit Tieren umgehen. Sie alle sind Be-weise, und viele unvollkommene Fotos waren für Erzieher:innen, Aktivist:innen und Journalist:innen von Nutzen.

Haben Sie jemals Ihr Leben für ein Foto riskiert? Leider gehört das zur investigativen Arbeit dazu, etwa beim Fotografieren industrieller Tierhaltung oder auch im Kontext anderer Konflikte. Immer sind es Menschen, die die reale Gefahr darstellen. Man sieht in mir eine Bedrohung für Arbeitsplätze und für die industrielle Tierhaltung als Ganzes, und deshalb schwebe ich ebenso wie meine Kollegen ständig in Gefahr, zusammengeschlagen, mit Geldstrafen be-legt, inhaftiert oder, in den USA, als Terroristin ver-urteilt zu werden.

Welche Fotograf:innen bewundern Sie am meisten? Straßen- und Kriegsfotograf:innen waren für mich eine wichtige Inspiration. Die Mühen, die sie auf sich nehmen, um etwas zu dokumentieren, sprechen mich stark an. Wie kann man die Schrecken, die wir einan-der zufügen, so darstellen, dass der Betrachter sich angesprochen fühlt, Empathie empfindet? Sebastião Salgado, James Nachtwey, Larry Towell – ich sehe mir an, was sie gemacht haben, und versuche, im Mensch-Tier-Konflikt dasselbe zu erreichen.

Und warum fotografieren Sie Tiere? Wichtige Themen müssen sichtbar gemacht werden, damit die Menschen sie verstehen und sie ändern. Mein Team und ich können nur einen kleinen Beitrag dazu leisten, den Lauf der Dinge zu verändern. Menschen fügen Tieren so viel Leid zu, und das muss aufgedeckt, dokumentiert und geteilt werden. Also geht es um das Warum. Für mich ist die Fotografie nicht einfach nur ein Job, sondern ein lebenslanger Auftrag.

Oft heißt es, die Fotografie könne die Welt verän-dern. Würden Sie das bestätigen? Ja, dem stimme ich zu. Fotos sind Katalysatoren, und die Menschen müssen den Wandel herbeiführen. Meine Hoffnung gründet auf dem menschlichen Mitgefühl.

Gibt es ein Tierfoto, das Sie für Ihr bisher bestes halten? Man hat immer irgendwelche Fotos, von denen man in dem Sekundenbruchteil, in dem man sie aufnimmt, weiß, dass sie etwas Besonderes sind. Als ich die Kängurumutter in der abgebrannten Eukalyptus-plantage sah, wusste ich, dass ich sie fotografieren musste, obwohl sie ein paar Dutzend Meter von mir entfernt war. Ich stellte meine Kamera fertig ein und ging langsam und gelassen auf sie zu. Als ich dort war, wo die Reihen verbrannter Bäume symmetrisch mit dem Hintergrund verschmolzen, hatte ich die richtige Stelle erreicht. Klick. Ich hockte mich hin. Klick.

Was bedeutet Ihnen die Fotografie? Die Fotografie ist das Medium, mit dem ich meinen Gefühlen und Gedanken über die Welt Ausdruck verleihe. Sie ist die Art, in der ich die Freuden und Sorgen der Welt, die auch meine eigenen sind, bezeuge und mitteile. Die Fotografie ist meine Eintrittskarte in das Leben von anderen und ein Weg, meine Neugier auf die Welt gleichzeitig zu befriedigen und auszubauen.

Östliches Graues Riesenkänguruweibchen mit Jungem in einer abgebrannten
Eukalyptusplantage, Mallacoota, Victoria, Australien, 2020

»Ich fotografiere Tiere, aber eigentlich sind diese Fotos soziologische Studien über uns Tiere. Meine Bilder spiegeln die Vielfalt unserer Reaktionen gegenüber Tieren wider: Faszination, Gleichgültigkeit, Spaß, Langeweile, Angst, sogar Ehrfurcht.«

Jo-Anne McArthur

Aufnahmen aus der Serie *Captive*
(Links) Schwarzer Jaguar, Frankreich, 2016
(Oben) Kegelrobbe, Litauen, 2016
(Folgende Doppelseite) Kinder mit Orang-Utans, Dänemark, 2016

Jim Naughten

Wildtierfiktionen

JIM NAUGHTEN *erforscht mithilfe von Fotografie, Stereoskopie und Malerei unsere Beziehung zur Natur. Seine künstlerischen Arbeiten wurden in den USA und zahlreichen europäischen Ländern gezeigt, u. a. bei Soloausstellungen im Imperial War Museum, im Horniman Museum und in der Wellcome Collection.*

INNERHALB EINES ZEITRAUMS, der im Vergleich zur Evolution des Lebens relativ kurz war, eroberten die Menschen den Planeten. Mich interessiert die Frage, inwieweit sich unsere Beziehung zur Natur von der unserer Vorfahren entfernt hat. Meine digitalen Kunstwerke beschwören Welten herauf, die vertraut und doch eigenartig fremd anmuten sollen, und ich kombiniere dafür Fotografie mit Malerei. Ich lote die Vorstellung von Natur als ferner Fiktion aus, indem ich Orang-Utans durch psychedelische Dschungel turnen oder Grizzlybären aus geheimnisvollen Wäldern auftauchen lasse. Ich will uns auf das erschreckende Verschwinden von Arten und unsere zunehmende Vereinsamung aufmerksam machen.

Ich begann meine Reise als Maler, wechselte dann aber auf der Kunsthochschule zum Fach Fotografie, zum Teil, weil da die coolen Typen abhingen, aber auch deshalb, weil ich dachte, dass es viel angenehmer wäre, nur auf einen Knopf zu drücken, anstatt hilflos vor der leeren Leinwand zu stehen. Nachdem ich viele Jahre lang schwere Ausrüstungen durch die Gegend geschleppt, mich mit anstrengenden Modellen herumgeärgert und Erfahrungen in einem afrikanischen Gefängnis gesammelt hatte, war ich die Illusion los, dass Fotografieren einfacher sei. Außerdem erschreckten mich meine eigenen Bilder, denn Menschen sind wesentlich Furcht einflößender, als wilde Tiere es jemals sein könnten.

Ich glitt in die Welt der Werbung und der Zeitschriftenfotografie ab und blieb jahrelang in diesem Sumpf stecken: Es waren meine Jahre in der wahren Wildnis! Dabei fühlte ich mich die ganze Zeit über unbehaglich, bis ich begriff, dass ich nicht mehr für mich selbst fotografierte. Ich begann, mich nach einem Sujet zu sehnen, das mir näherstand. Es dauerte Jahre, bis ich es gefunden hatte: Es waren die Tiere.

Genauer gesagt wild lebende Tiere, allerdings solche, die nicht mehr durch echte Wildnis streiften. Während der Arbeit an einem Projekt begegnete ich der Stereoskopie, eine frühe Form der dreidimensionalen Darstellung und sogar noch älter als die Fotografie. Sie ist leicht zugänglich, macht Spaß und kann dem Sujet eine verblüffende Präsenz verleihen. Ich liebe sie! Für die Betrachter ungewohnt ist, dass sie sich physisch auf sie einlassen müssen, denn sie können die Bilder immer nur allein anschauen, in der Kabine einer Galerie oder mit einem Buch und einem Stereoskop. Doch macht genau dies gleichzeitig ihre besondere Ausdruckskraft aus. Stereoskopien sind bezaubernd und eindringlich zugleich, und auf eine altmodisch anmutende Weise direkt.

Aus meinen ersten Experimenten mit der Stereoskopie ging *Animal Kingdom* hervor, also ein Buch und mehrere Ausstellungen. Als Kind hatte ich mich für Dinosaurier, Fossilien und alles, was mit Naturgeschichte zu tun hatte, begeistert, und nun konnte ich zu dieser alten Leidenschaft zurückkehren. Ich begann, am Londoner Grant Museum of Zoology zu arbeiten, und machte stereoskopische Aufnahmen von Primatenskeletten. Sie ließen sich gut dreidimensional darstellen. Ein besonderes Schimpansenskelett wirkte so überwältigend menschlich, dass ich mich daran erinnert fühlte, dass auch wir Menschen Primaten und Teil der Natur sind, auch wenn wir uns einbilden, etwas anderes zu sein.

Ich empfand es als Privileg, in naturhistorischen Museen arbeiten zu dürfen. Sie sind wie Kathedralen der Natur. Wenn ich außerhalb der Besuchszeiten dort

Mountains of Kong

Jim Naughten Presents 'Mountains of Kong'
Stereoscopic images from a lost landscape

Fauna.No.02. The Monkey Tree

No.02. The Monkey Tree

Mountains of Kong

Jim Naughten Presents 'Mountains of Kong'
Stereoscopic images from a lost landscape

Fauna.No.03. The Ammonite

No.03. The Ammonite

»Die Fotografie ist eine Superkraft für das Erzählen von Geschichten. Sie kann ein Bewusstsein und einen Diskurs über unsere Abkopplung von der natürlichen Welt, unsere fiktionalen Vorstellungen von der Natur und Möglichkeiten für positive Veränderungen schaffen.«

bin, umgibt mich die Ausstrahlung der Exponate und der Geist der Wissenschaftler, die sich seit Darwins Zeiten mit ihnen befassen. Die Ausstellungsstücke sind unheimlich faszinierend und oft außerordentlich schön, doch ich vergesse nie, dass diese Tiere keines natürlichen Todes gestorben sind und konserviert wurden, um bis in alle Ewigkeit dem menschlichen Blick ausgesetzt zu bleiben.

Diese Sammlungen sind ein unglaublicher Fundus von Sujets. Die Idee für mein folgendes Projekt *Mountains of Kong* kam mir, als ich jemanden im Radio über diese Berge sprechen hörte. Mir gefiel der Name und die Geschichte eines fiktiven Gebirges in Afrika, an dessen Existenz Europäer hundert Jahre oder länger geglaubt hatten, bevor sie feststellen mussten, dass es diese Berge niemals gegeben hatte. Mir fiel einer unserer Dozenten an der Kunsthochschule wieder ein, der uns dazu aufforderte, uns eine Galerie mit leeren Wänden vorzustellen und dazu die Bilder, die wir an ihnen aufhängen möchten. Ein einfacher, aber wirkungsvoller Trick, der einem herauszufinden hilft, was man eigentlich fotografieren will. Weil ich damals von der Stereoskopie geradezu besessen war, beschloss ich, einen Ort aufzusuchen, den es niemals gegeben hatte, um dort »wissenschaftliche« stereoskopische Aufnahmen seiner Fauna und Flora zu machen. Und so wurden die Bewohner von Kong geboren.

Für dieses Projekt arbeitete ich mit den Dioramen naturhistorischer Museen in den USA und in Europa. Die Herstellung der Stereobilder ist eine ruhige, meditative Angelegenheit. Die Museen sind für mich Gedächtnisstätten der Natur, die natürlich auf eine ganz besondere Art traurig machen. Bei meiner Arbeit bin ich mit den Geistern der armen Kreaturen hinter Glas allein. Ich fotografiere die stereoskopischen Bilder mit einer Kamera, die auf dem Schlitten eines Stativs befestigt ist, und mache je ein Bild für das linke und für das rechte Auge. Dieser Schritt ist relativ einfach; kniffliger wird es, die Aufnahmen für die Ausstellung oder den Druck fertig zu machen.

Ich entwickelte Geräte mit Spiegeln, die das Betrachten großformatiger Bilder ermöglichen, sowie Stereoskope, die meine moderne Version der viktorianischen Originale darstellen. Ich mag diese vollkommen unmoderne Ausstellungsweise, bei der immer nur ein Betrachter auf einmal drankommt und durch die diese Bilder nur persönlich angeschaut werden können. Man kann sie nicht einfach in einer Zeitschrift oder auf einer Website zeigen, aber genau diese Einschränkung finde ich gut.

Während meiner Arbeit an dem Kong-Projekt besuchte ich das Field Museum in Chicago. Es war so vollgestopft, dass man sich kaum darin bewegen konnte, doch ein Raum war vollkommen leer: die Ausstellung über das Artensterben. Auf der ersten Texttafel stand, dass aufgrund menschlicher Aktivitäten Jahr für Jahr 30 000 Arten verschwinden. Von einer Digitalanzeige konnte man ablesen, dass seit acht Uhr an diesem Morgen 20 Arten ausgestorben waren – und die Uhr tickte und tickte. Vier Arten pro Stunde. Jeden Tag über 80, oder vielleicht noch mehr. Ich fand diese Ausstellung extrem deprimierend, aus zwei Gründen: Der eine war das Tempo, mit dem Arten ausgelöscht wurden, der andere, dass sich die übrigen Museumsbesucher:innen kein bisschen dafür interessierten.

Deshalb beschloss ich, dass sich mein nächstes Projekt damit befassen sollte. Die Fotos sollten fesselnd sein, die Betrachtenden aber nicht gleich abschrecken. Es ging mir darum, dass unser rosiges Bild der Natur größtenteils eine Fiktion war, nichts weiter als eine Idealisierung. Meine Aufnahmen sollten dieser Illusion und unserer Entfremdung von der Natur auf den Grund gehen. Ich fange oft mit Dioramen an, denn sie sind menschliche Fiktionen, alte Fenster zur Natur

Maultierhirsche aus der Serie *Eremozoic*, 2021

der Vergangenheit, denen ich Elemente und Farben wegnehme oder hinzufüge.

Der berühmte US-amerikanische Biologe E. O. Wilson sagte, dass wir ins »Eremozoikum« eintreten, in das Zeitalter der Einsamkeit oder Trostlosigkeit. Zum ersten Mal in den 542 Millionen Jahren tierischen Lebens auf der Erde ist eine einzige Art für den Niedergang und das Aussterben der Mehrzahl der anderen Arten des Planeten verantwortlich.

Indem ich unwirkliche Szenarien schaffe, zeige ich auf, wie wirklichkeitsfern unsere Sicht der Natur ist. Meine Bilder sollen surreal und utopisch wirken und eindeutig unrealistisch. Die Zukunft kann sehr dystopisch werden, doch anscheinend wird der Ernst der Lage immer mehr Menschen bewusst, und deshalb gebe ich die Hoffnung noch nicht auf. Mich interessiert auch, wie es so weit kommen konnte, wie wir uns von der Natur entfernen konnten.

Natur findet immer anderswo statt: in abgelegenen Regionen, in Dokumentarfilmen, in Wildparks und Zoos. Menschen beherrschen die ganze Welt, beispielsweise durch die Landwirtschaft, und die Natur an sich spielt nur eine untergeordnete Rolle. Dabei ist auch noch eine andere Fiktion im Spiel, denn wir vergessen ständig, dass auch wir den Naturgesetzen unterworfen sind, dass wir für Viren anfällig bleiben und dass auch wir vom Aussterben bedroht sein könnten.

Kunst kann etwas ändern. Vielleicht nicht dadurch, dass sie in Galerien herumhängt, doch Gedanken können Wellen schlagen und sich schnell ausbreiten. Wir haben keine Zeit zu verlieren, gerade deshalb ist jede Form von Kreativität wichtig, wie geringfügig und seltsam sie auch erscheinen mag. Sogar meine rosa Wiesen, Gläser mit Exponaten oder Visionen von Ungeheuern können eine Diskussion anregen, die eines Tages zu positiven Veränderungen führt. Draußen, in der realen Welt. Egal, welches Format und welchen Stil sie auch immer haben mögen: Tierfotos sind wichtig.

(Links) Braunbär aus der Serie *Eremozoic*, 2021
(Folgende Doppelseite) Großer Fetzenfisch aus der Serie *Animal Kingdom*, 2016

Daniel Naudé

DANIEL NAUDÉ *ist ein südafrikanischer Künstler, der durch die Fotografie menschliche Schicksale im Kontext ihrer Umgebung erkundet. Sein erstes Buch* Animal Farm *erschien 2012. Im Jahr 2016 folgte* Sightings of the Sacred. *Seine Ausstellung* The Bovine Project *wurde 2022 in London präsentiert.*

Erinnern Sie sich, welches das erste Tier war, das Sie fotografiert haben? Das waren unsere eigenen Hunde, aufgenommen mit der Nikon meiner Eltern. Diese frühen Jahre, in denen ich Hunde der Rasse Africanis ablichtete, hatten mit Sicherheit einen nachhaltigen Einfluss auf meinen beruflichen Werdegang. Ob Haustiere, Nutztiere, Tiere, die in unserem Garten gefüttert werden - wir sind gern in ihrer Nähe. Wir befassun uns gern in Gedanken mit Tieren, wenn auch nicht immer mit ihrem wahren Wesen und ihren echten Bedürfnissen.

Gibt es ein historisches Foto, das Sie sehr bewundern? Die meisterlichen Arbeiten von Eadweard Muybridge und besonders seine Studien der Bewegungsabläufe finde ich sehr interessant, kraftvoll und enthüllend. Denn darum geht es: die von der Technik auferlegten Grenzen zu überwinden und neue fotografische Möglichkeiten zu finden. Und immer wieder die bei oberflächlicher Betrachtung übersehenen Bewegungen der Tiere zu entdecken.

Und warum fotografieren Sie Tiere? Weil ich mich für sie interessiere. Seit dem Anbeginn der Geschichte haben Menschen ihr Leben und ihre Kultur um das Zusammensein mit Tieren herum aufgebaut. Das Bedürfnis nach Wildheit und Unsicherheit war immer da und bleibt im Instinkt des Menschen verankert, gleichgültig, wie hoch entwickelt unsere Kultur jemals sein wird. Ich finde die dünne Linie, die domestizierte von wilden Tieren trennt, faszinierend.

Oft heißt es, die Fotografie könne die Welt verändern. Würden Sie das bestätigen? Auf jeden Fall. Denn ein Bild durchbricht die Sprache und kann von allen Betrachtern gelesen werden. Das ist der Grund, warum meine Arbeit auf Tieren gründet. Ich konzentriere mich nicht auf ein Sujet, ein Ereignis oder auf eine bestimmte Gruppe von Menschen, sondern auf Tiere, zu denen jeder eine Beziehung aufbauen kann.

Gibt es ein Tierfoto, das Sie für Ihr bisher bestes halten? Ein Hundeporträt: »Africanis 12, Richmond, Northern Cape, Südafrika«. Das Faszinierende an diesen Hunden ist, wie gut sie sich mental und körperlich an die Regionen angepasst haben, in denen man sie antrifft. Der Tierkörper verändert sich je nach geografischen Gegebenheiten, und deshalb sind Africanis-Hunde in Trockengebieten schlanker und haben ein kürzeres Fell, während sie in Küstengebieten größer sind und ein dichteres Fell tragen. Kraft und Vielfalt, das kommt mir sehr südafrikanisch vor. Eine Mischung von Kulturen, eine Mischung von Identitäten. Das Kuratieren hat Jahre gedauert. Zuerst wollte ich alles ausdrucken, die Abzüge lagen überall auf dem Fußboden meiner Wohnung herum, ich litt tagelang Höllenqualen. Womit fange ich an? Schließlich setzten sich die schlichtesten Bilder durch und prägten meinen Stil bis heute. Ich suche in meinen Arbeiten nach dem Stillen, dem Ruhigen, das ist das Fundament. Auch wenn ich in unserem Land Hunderte von Kilometern zurücklege, um Farmer zu besuchen und die Tiere zu finden, die mich interessieren, geht es für mich doch um Stille. Ich will den Geist des Tiers einfangen.

Möchten Sie unseren Leser:innen noch etwas sagen? Ein einzelnes Bild kann das Image einer Art ändern. Ganz bestimmt. Digitale Medien und das Internet konfrontieren uns mit einem globalen Publikum. Jeder kann in den sozialen Netzwerken etwas posten und über ein Bild schreiben, und gleiches gilt für Nachrichtenplattformen. Das verleiht allen Fotograf:innen eine Stimme, die so mächtig ist wie nie zuvor.

Africanis 12, Richmond, Northern Cape, Südafrika, 2009

Nguni-Stier, Kei River, Eastern Cape, Südafrika, 2009

Quagga, Stellenbosch, Western Cape, Südafrika, 2010

Nguni-Rinderfarmer Ben Fyfer an seinem Schreibtisch in
Louwna, North West Province, Südafrika, 2010

Mario Jacobs mit einem Kapotter, Quaggasfontein Farm,
Eastern Cape, Südafrika, 2010

Georgina Steytler

GEORGINA STEYTLER *ist Autodidaktin und Natur-fotografin mit einem lebhaften Interesse an Vögeln, ethischen Fragen und Naturschutz. 2018 wurde sie als erste Australierin in einer Kategorie des Wettbewerbs Wildlife Photographer of the Year ausgezeichnet.*

Beschreiben Sie ein selbst aufgenommenes Tier-foto, das Sie nie vergessen werden. Es ist das Bild eines Buller-Albatros. Ich fotografierte ihn bei rauer See von einem kleinen Boot aus. Ich war furchtbar seekrank, und vielleicht lockte mein Erbrochenes den Albatros an. Noch dazu regnete es, aber dennoch gelang mir wie durch ein Wunder ein scharfes Bild, auf dem mich der herrliche Vogel anstarrt.

Haben Sie ein Lieblingsfoto, das Sie selbst aufge-nommen haben? Ich liebe alle meine Fotos von den hüpfenden Schlammspringern. Diese Tiere machen mich einfach nur glücklich. Ich mochte sie schon immer, doch ein alter Freund verriet mir, wo man bis zu 30 Zentimeter lange Schlammspringer antreffen konnte, und als ich dort hinkam, verliebte ich mich sofort in sie. Sie sind die lustigsten kleinen Tiere der Welt, sie springen und streiten sich und patrouillieren den ganzen Tag in ihren Revieren. Seitdem habe ich mich näher mit ihnen befasst und festgestellt, dass sie bemerkenswerte Beispiele für den evolutionären Übergang vom Leben im Wasser an das an Land dar-stellen: Ihre Augen sind oben auf dem Kopf, damit sie über dem Wasser herannahende Fressfeinde sehen können; außerdem vertragen sie einen niedrigen Sauerstoffgehalt. Auch wenn sie nicht bedroht sind, halte ich es dennoch für wichtig, über diese Tiere zu informieren, damit die Menschen lernen, alle Lebe-wesen zu lieben, nicht nur die besonders großen oder besonders niedlichen.

Gibt es ein Foto oder eine Fotoserie, die Sie beson-ders interessant fanden? Ich bekomme nicht mehr das Foto aus dem Kopf, wegen dem Frank Deschandol 2019 zum Wildlife Photographer of the Year ernannt wurde. Es zeigt einen Rüsselkäfer, der von einem »Zombie-Pilz« befallen wurde. Ich begreife immer

noch nicht, wie ein Pilz das Tier unter Kontrolle be-kommen und es dazu bringen kann, auf einen Baum zu klettern. Dann treiben am Kopf des Tiers Pilzstängel aus, um schließlich die Sporen freizugeben. Es sieht wie ein Wesen aus einem Science-Fiction-Film aus, und dennoch ist es real. Es erinnert mich immer wieder daran, dass wir Menschen noch viel über die Natur und die Welt um uns herum lernen müssen.

Und warum fotografieren Sie Tiere? Ich mag Tiere viel lieber als Menschen. Ich leide unter Depressionen und Angststörungen, und anders als unter Menschen bin ich unter Tieren viel entspannter. Am glücklichs-ten bin ich, wenn ich irgendwo in der Natur und mit Tieren zusammen sein und sie in ihrem Alltag beob-achten kann.

Möchten Sie die positiven Auswirkungen beschrei-ben, die eines Ihrer Fotos hatte? 2018 siegte mein Foto von zwei Mauerwespen bei Wildlife Photographer of the Year in der Kategorie »Wirbellose«. Ungefähr einen Monat später rief mich ein Universitätsprofes-sor an. Er datierte Felsmalereien der Aborigines, indem er mit der Radiokarbonmethode das Alter von Mauerwespennestern bestimmte, über die einige der Kunstwerke drübergemalt worden waren. Er hatte mein Foto gesehen und wollte mehr über das Ver-halten der Mauerwespen erfahren. Als ich das Bild aufnahm, hätte ich mir niemals träumen lassen, wel-che Folgen das haben würde.

Sind Tierfotos wichtig? Die größte Bedrohung der Natur besteht darin, dass wir uns von ihr entfremdet haben. Wie können wir diese Beziehung wieder kitten? Indem wir über konventionelle Fotografien hinaus-wachsen und ebenso über die testosteronlastigen Safari-Tierdokumentationen. Studien haben erwiesen, dass die Beschreibung von Hunden in einer anthropo-morphen Sprache bewirkt, dass die Menschen ihnen gegenüber größere Hilfsbereitschaft zeigen und dass das Ausmaß, in dem Personen anderen Tieren gegen-über Empathie verspüren, beeinflusst, wie stark sie sich für diese Tiere engagieren. Die Fotografie hat einen direkten Einfluss auf den Tierschutz.

Buller-Albatros, Indischer Ozean, 2015

Schlammspringer, Roebuck Bay, Western Australia, 2015

Mauerwespen beim Sammeln von Material für den Nestbau, Western Australia, 2016

Mateusz Piesiak

MATEUSZ PIESIAK *ist ein polnischer Naturfotograf, der sich auf Vögel spezialisiert hat. Seine Arbeiten wurden in Printmedien wie* National Geographic, BBC Wildlife Magazine *und* The Guardian *abgedruckt. Er erhielt mehrere Auszeichnungen, darunter auch eine Ernennung zum Wildlife Photographer of the Year.*

Gibt es ein Foto oder eine Fotoserie, die Sie besonders interessant fanden? Ich erinnere mich an die Weitwinkel-Fotoserie von Bence Máté, die Pelikane zeigt. Sie eröffnete mir eine ganz neue Sichtweise. Nachdem ich Jan van der Greefs Fotos von Heringsmöwen gesehen hatte, begann ich, mit langen Verschlusszeiten zu experimentieren. Und durch Jasper Doests Flamingo-Serie begriff ich, wie wichtig die Story und die Botschaft eines Bildes sind. Ich fragte Jasper mal, welches Objektiv er für diese Bilder benutzte, und er antwortete, dass das egal sei, weil er sie mit jeder Ausrüstung machen könne, und dass es einzig auf das ankäme, was man mit seinem Bild erzählen wolle. Das werde ich nie vergessen.

Und warum fotografieren Sie Tiere? Ich fotografiere Tiere, weil ich Augenblicke festhalten kann, die das menschliche Auge normalerweise nicht mitbekommt. Dank moderner Technologie können Kameras viele Bilder pro Sekunde aufnehmen, sodass die Chancen gut stehen, die perfekte Flügel- oder Schnabelhaltung einzufangen. Ich arbeite auch mit Krankenhäusern in Deutschland und Polen zusammen: Meine Fotos schmücken die Wände und verschönern den Patienten den Tag. Denn das ist wohl ein weiteres wichtiges »Darum«: weil die Bilder den Menschen ein Lächeln ins Gesicht zaubern und ihnen helfen. Und außerdem weiß ich, dass ich beim Fotografieren ebenfalls glücklich und zufrieden bin.

Wissen Sie, ob eines Ihrer Fotos positive Auswirkungen hatte? Einmal schrieb mir eine Dame, die lange Zeit gegen Depressionen zu kämpfen hatte, dass ihr eines meiner Fotos viel positive Energie geschenkt habe. Es war der Schnappschuss eines jungen Schwans. Sie machte gerade eine schwierige Phase durch, doch mein Foto erinnerte sie an die schönen Seiten des Lebens. Ich erhalte oft Zuschriften von Leuten, die angefangen haben, die vielen Tierarten um sie herum zu bemerken, und die sich nun für sie und die Natur im Allgemeinen einsetzen wollen. Das hört sich zwar sehr bescheiden an, doch gleichzeitig ist es fundamental. Es ist auch ein wichtiger Grund, warum ich fotografiere: Ich mache Leute auf kleine Dinge aufmerksam und wecke in ihnen den Wunsch, die Natur in ihrer Schönheit zu beschützen.

Oft heißt es, die Fotografie könne die Welt verändern. Würden Sie das bestätigen? Es ist unwahrscheinlich, dass ein einzelnes Foto die Welt verändert, doch in Kombination mit Text kann die Fotografie ein wichtiges Medium sein. Meiner Ansicht nach übermittelt ein Bild wesentlich mehr Informationen und Emotionen als ein Text. Ich denke dabei an Themen wie den illegalen Elfenbeinhandel oder das Abschlachten von Haien. Gute Fotos lösen sehr starke Gefühle aus und bleiben in Erinnerung. Die Menschen sind ständig in Hektik, daher ist ihre Aufmerksamkeitsspanne nur sehr kurz. Texte werden lediglich überflogen, während ein ausdrucksstarkes Foto fesselt. Klug eingesetzte Bilder, z. B. im Rahmen eines größeren Fotoprojekts, können vielleicht nicht die Welt verändern, werden aber auf jeden Fall Aspekte der Wahrnehmung beeinflussen.

Sind Tierfotos wichtig? In Polen gibt es das Sprichwort: »Was das Auge nicht sieht, bereitet dem Herzen keinen Kummer.« Ohne Fotos, die die Schönheit und Vielfalt der Wildtiere zeigen, wüssten die meisten Leute gar nicht, dass es diese Tiere gibt, und würden sicherlich kein Geld für deren Schutz ausgeben. Weil Tag für Tag mehr Arten unwiederbringlich verschwinden, sind gute Bilder und realistische Storys von grundlegender Bedeutung. Deshalb bin ich überzeugt davon, dass Tierfotos wichtig sind und unsere Weltsicht beeinflussen. Sie können uns darin bestärken, uns für den Planeten zu engagieren.

Wisent, Białowieża-Nationalpark, Polen, 2017

(Oben) Reiher und Möwen, Polen, 2014
(Folgende Doppelseite) Bergfinken auf einem verblühten Sonnenblumenfeld, Dolny Śląsk, Polen, 2021

Karim Iliya

KARIM ILIYA *ist Fotograf, Drohnenpilot, Filmemacher und Coach für das Schwimmen mit Walen. Er lebt auf Hawaii und Island. Fotografie und Videofilme setzt er ein, um seine ungewöhnliche Perspektive auf die Welt mit anderen zu teilen und Geschichten von Tieren und Menschen zu erzählen.*

Erinnern Sie sich, welches das erste Tier war, das Sie fotografiert haben? Eines der ersten Fotos, mit denen ich wirklich zufrieden war, zeigt eine junge Saumfingerechse an einem Blütenstängel. Ein Abzug davon hängt bei mir an der Wand. Auch heute noch, zehn Jahre danach, ist es Teil meiner Mappe.

Welche Naturfotograf:innen bewundern Sie am meisten? Ich habe große Achtung vor allen, die den Weg bereitet haben und uns jene Geschichten schenkten, die Menschen für Tiere und ihren Schutz begeistert haben. Dazu zähle ich die gesamten Filmteams von BBC-Serien wie *Planet Erde* und *Unser blauer Planet*.

Welches ist das einflussreichste Tierfoto aller Zeiten? Das sind all jene alten Tierfotos, die den Menschen ein neues Tier zum ersten Mal zeigten. In neuerer Zeit waren Ami Vitales Arbeiten über Nashörner vermutlich am einflussreichsten, dank ihres Einfühlungsvermögens, handwerklichen Könnens und der Schlichtheit der Aufnahmen. Jedes Jahr schauen sich Millionen von Menschen ihre Bilder an.

Und warum fotografieren Sie Tiere? Meist stopfen wir Tiere in die eine Kategorie und Menschen in die andere. Tatsache aber ist, dass wir einfach nur eine der Millionen von Tierarten sind, die auf unserem Planeten leben. Menschen sind faszinierend, und ich fotografiere sie ebenfalls gern, doch in der Natur herrscht eine unglaubliche Vielfalt. Da gibt es Pottwale, die gegen kolossale Kraken kämpfen, Wanderfalken, die auf der Jagd schneller werden als ein Sportwagen, Oktopusse, die ständig ihre Form und Farbe verändern, Korallenkolonien, die sich nachts vermehren, und Tiere, die im Dunkeln leuchten. Zahllose Arten wurden zu perfekt an ihren Lebensraum angepasste Spezialisten. Das bedeutet aber auch, dass viele von ihnen in Gefahr sind. Unsere Spezies, der Mensch, beansprucht immer mehr Land und Ressourcen für sich und vergiftet weiterhin Wasser und Böden, ohne Rücksicht auf die darin lebenden Tiere zu nehmen. Durch die Fotografie können wir Menschen die Schönheit unseres Planeten vor Augen führen, bevor es zu spät ist.

Hat ein Tierfoto Sie jemals dazu veranlasst, Ihr Leben zu hinterfragen? Da gibt es ein Foto von Jonas Bendiksen, das ich vor langer Zeit gesehen habe. Es ist kein konventionelles Tierfoto, denn es zeigt Dorfbewohner, die inmitten von Hunderten weißer Schmetterlinge Metallschrott sammeln. Es erinnert mich daran, dass unser Planet trotz all unserer Umweltsünden noch von Leben erfüllt ist.

Gibt es ein Tierfoto, dass Sie für Ihr bisher bestes halten? Bis jetzt ist es mein Foto vom Auge eines Buckelwalkalbs. Das Kalb war unglaublich verspielt und kam zu mir, während seine Mutter etwas tiefer unten im Wasser schlief. Für mich war es die intimste Begegnung, die man mit einem wild lebenden Tier haben kann. Wenn ich Wale fotografiere, sehe ich normalerweise nicht durch meine Kamera, sondern verlasse mich einfach auf meinen Fotografeninstinkt, damit ich meine Augen frei einsetzen kann.

Sind Tierfotos wichtig? Die meisten Menschen interagieren kaum mit Wildtieren. TV-Serien wie *Planet Erde* und Fotos öffnen ein Fenster. Man braucht irre viel Zeit und Geduld, um selten gewordene Tiere aufzunehmen, aber es ist wichtig für den Artenschutz und hilft Forschenden zu verstehen, wie Ökosysteme funktionieren. Wir haben das Glück, in einer Zeit zu leben, in der wir ansprechende Tierfotos machen können, sodass diese Tiere nicht mehr als furchterregende Ungeheuer angesehen werden. Tiere sind ein wichtiger Teil der Welt. Wenn wir das vergessen, riskieren wir, sie zu verlieren. Ohne Tiere - und damit meine ich auch all das kleine Krabbelzeug - brechen unsere Ökosysteme zusammen, und die Arten sterben aus.

Auge eines Buckelwalkalbs, Vava'u, Tonga, 2018

»Fotografie bietet die Möglichkeit,
Geschichten zu erzählen und
all jenen eine Stimme zu verleihen,
die nicht für sich selbst sprechen
können – seien es nun Pflanzen,
Tiere oder Menschen.«

Karim Iliya

(Links) Buckelwalkalb bei einem Luftsprung vor der
Küste von Moorea, Französisch-Polynesien, 2020
(Oben) Grüne Meeresschildkröte, Hawaii, 2021

Seelöwenkolonie, Baja California, Mexiko, 2020

Britta Jaschinski

Neu überdenken

BRITTA JASCHINSKI *konzentriert sich in ihren Arbeiten darauf, die fragmentierte Existenz wild lebender Tiere zu dokumentieren. Sie wurde zweimal zum GDT Europäischen Naturfotografen des Jahres ernannt und siegte in einer Kategorie des Wettbewerbs Wildlife Photographer of the Year.*

ICH SETZE MEINE Kamera als Waffe im Kampf um den Respekt gegenüber Tieren ein. Fotografie ist für mich ein Katalysator für den Wandel. Doch selbst wenn man mir die Fotografie wegnähme, würde ich mich sehr bemühen, mit der gleichen Mission weiterzumachen.

Meine Leidenschaft für Tiere und die Natur hat mich schon immer erfüllt, und ich habe mich nie als Mensch überlegen gefühlt. Da ich Tiere und die Natur so liebe, wollte ich, als ich Berufsfotografin wurde – und das geschah sehr früh, weil ich gleich nach meiner Ausbildung mit 20 schon arbeitete –, all meine Fähigkeiten dafür einsetzen, ausdrucksstarke Botschaften zu formulieren. Wenn mich meine Student:innen heute fragen, wie man Tierfotograf:in wird, frage ich zurück: »Gibt es etwas, das du sagen willst?«

Ab dem Alter von 14 Jahren habe ich Unterschriften gesammelt und mich für das eingesetzt, was ich wichtig fand. Ich habe auf den grausamen Umgang mit Tieren in Forschungslabors hingewiesen und gegen Atomkraft protestiert. Als ich nach England ging, um Fotografie zu studieren, fühlte ich mich dort sehr zu Hause. Menschen kennenzulernen, die ähnlich dachten wie ich, schenkte mir Kraft. Bekannte Fotografen inspirierten mich, und ich durfte einige von ihnen sogar persönlich kennenlernen, da meine Hochschule viel Wert darauf legt, dass die Studierenden eigene Erfahrungen in der »echten« Fotowelt sammeln können.

In meinem ersten Projekt ging es um Zoos und insbesondere um den legalen Wildtierhandel. Danach konzentrierte ich mich auf den illegalen Handel. Ich fand heraus, dass der illegale Wildtierhandel die viertgrößte Sparte des illegalen Handels darstellt – nach Drogen, Menschenhandel und Produktpiraterie – und jährlich schätzungsweise 17,5 Milliarden Euro umsetzt. Hunderte von Millionen Pflanzen- und Tierexemplare werden alljährlich international verkauft. Ich beschloss, mich damit zu befassen.

Damals verbrachte ich sehr viel Zeit in der Dunkelkammer und eignete mir dabei verschiedene Abzugstechniken an, die mir heute noch bei der Arbeit mit digitalen Dateien von Nutzen sind. Und ich lernte in dieser Zeit sogar viel über mich selbst. Die Stunden in der Dunkelheit, allein mit meinen Bildern, öffneten mir gleichsam ein Fenster zu meiner Seele, und ich fragte mich immer öfter: Wie können wir Menschen fühlende Wesen so entsetzlich grausam behandeln? Unsere Bedürfnisse nach Unterhaltung, Status und Macht, unsere Gier und unser Aberglaube sind schuld an dem Leid unzähliger Tiere in aller Welt.

Die Leute sagen, dass meine Arbeit hilft, einen Wandel herbeizuführen, und sich auf Gesetze und ihre Durchsetzung sowie auf das öffentliche Bewusstsein auswirkt. Ich hoffe, dass meine Bilder zumindest mehr und mehr Menschen dazu bewegen, Tiere und die Natur zu schützen.

Ich denke schon, dass meine Fotografien seit jenen Zoobildern der 1990er Jahre eine große Entwicklung durchgemacht haben. Ich habe die entsetzlichen Bedingungen in Zirkussen angeprangert und die Grausamkeit der Dressur, in der Elektroschocks, Schmerz, Schlaf- und Nahrungsentzug und weitere schlimme Praktiken eingesetzt werden. Ich habe die grässlichen Trophäen des illegalen Wildtierhandels aufgespürt, Regale voller Scheußlichkeiten, die auf Flughäfen und an Grenzposten aufgegriffen wurden.

Ein vom US-Zoll beschlagnahmter Zebrakopf, aufbewahrt im
National Wildlife Property Repository, Denver, Colorado, 2016

Großkatzen, vermutlich alle von in Gefangenschaft gezüchteten Tieren
abstammende Nachkommen, Park der sieben Sterne, Guilin, China, 2012

Leopard
Skins
Tanned

SHELF 2

SHELF 3

SHELF 4

SHELF 5

SHELF 6

Ich kann nicht verstehen, warum die Nachfrage nach diesen Produkten weiter besteht, obwohl Arten dadurch an den Rand der Ausrottung geraten. Aber je seltener eine Art ist, desto teurer werden die aus den toten Tieren hergestellten Trophäen. Die Leute wollen das letzte Nashorn haben, weil es nach seinem Tod so viel mehr wert ist. Ich möchte den Tieren eine Stimme geben. Die Frage, die mich heute antreibt, ist: Was *muss* gesagt werden?

Auf einem meiner vielleicht bekanntesten Fotos ist ein von Beamten des US Fish and Wildlife Service beschlagnahmter Zebrakopf zu sehen. Ich dokumentierte, was beschlagnahmt und dann in einem Depot in Denver gelagert wurde. Dort sieht es wie in einem riesigen Kaufhaus aus, mit Millionen von Artikeln. Um die Objekte zu transportieren, verwenden sie Einkaufswagen. Es ist absurd, Tiere in einen Einkaufswagen zu stecken. Sind Tiere tatsächlich Konsumartikel? Das Depot ist wie ein Supermarkt menschlicher Süchte nach Trophäen – und gleichzeitig ein Friedhof einst herrlicher Tiere. Wenn ich so etwas sehe, schäme ich mich, ein Mensch zu sein.

Die meisten Menschen dokumentieren Tiere lieber in der freien Natur, doch ich habe einfach zu oft in Betonzellen und schmutzige Käfige geschaut und mich mit toten Tieren beschäftigt. Die Natur wird immer noch missbraucht, der illegale Wildtierhandel bleibt bestehen, Tiere und Menschen leiden weiter. In meinem nächsten größeren Projekt wird es um die Übertragung von Viren von Tieren auf den Menschen gehen, neben Klimawandel und dem Verlust an Biodiversität eines der drängendsten Probleme unserer Zeit. Es ist, als würde man einen Autounfall in Zeitlupe beobachten. Warum weigern wir uns immer noch, etwas dagegen zu unternehmen? Der Fotografie kommt hier die wichtige Rolle zu, Verborgenes ans Licht zu bringen.

Ein Wissenschaftler erzählte mir, was passiert, wenn in einem Regenwald ein Baum gefällt wird: Es kommt zu einer regelrechten Virenexplosion. All jene Tiere, die auf und um den Baum herum lebten, sind immun und bekommen keine Probleme. Die Menschen aber, die sich dort ansiedeln, noch mehr Bäume fällen und ihre Schweine und anderen Haustiere mitbringen, sind anfällig, und die Viren vermehren sich und finden Eingang in die Nahrungskette. Das erhöht das Risiko einer weiteren globalen Pandemie.

Außerdem beschäftige ich mich wieder mehr mit Stillleben: mit Objekten tierischer Herkunft, die Puzzleteile des größeren Ganzen sind und seine Geschichte erzählen. Beschlagnahmte Waren und Medikamente von zweifelhafter Heilkraft. Es geht um Handel und Nachfrage, um Pathogene und Pandemien. Ich arbeite mit Fachleuten zusammen, mit Biologen, Spezialagenten und Behörden. Manchmal braucht man tatsächlich ein großes Team, um eine Geschichte zu erzählen.

Sobald es uns gelingt, Bewusstsein zu schaffen, werden wir unser Ziel schon halb erreicht haben … Aber was kommt dann? Wie können wir verhindern, dass die Menschen es einfach wieder vergessen? Deshalb liebe ich es, Bücher zu machen. Sie sind Beweis und Erinnerung zugleich. Ohne uns Fotograf:innen würde das Gewissen der Welt verkümmern.

(Vorherige Doppelseite) An US-Einreisepunkten beschlagnahmte Leoparden- und Tigerfelle, 2016
(Rechts) Eine von Zollbeamten beschlagnahmte Meeresschildkröte, die inzwischen im Leibniz-Institut zur Analyse des Biodiversitätswandels in Hamburg lebt, 2021

Fragmente

DIE BEZIEHUNGEN zwischen Menschen und Tieren sind Tausende von Jahren alt. Am treffendsten lassen sie sich wohl als »verworren« beschreiben, denn sie sind voller Widersprüche. Wir lieben Tiere und dennoch töten wir sie. Es ist schwierig, im Bezug auf Tiere klare Gedanken zu fassen. »Manche lieben wir, manche hassen wir, manche essen wir«, lautet ein Kernsatz der modernen Anthrozoologie.

Blättern Sie nochmals zurück zu den ganz vorn in diesem Buch abgedruckten Stereografiekarten: Sie sehen eine zitternde Spinne, ein Baktrisches Kamel, ein Pferd, für Touristen geschmückte Dromedare in Ägypten, ein kleines Mädchen mit Bauernhoftieren, exotische ausgestopfte Tiere, eingefrorene Fische aus Wisconsin, einen in Yellowstone erlegten Hirsch, ein Flusspferd aus dem Central Park Zoo, eine Giraffe aus Antwerpen, eine Kuh, einen Hund, einen Vogel im Käfig, ein preisgekröntes Rennpferd, eine Krötenechse, ein riesiges Flusspferd namens Caliph, eine Traber-Championstute namens Rosalind sowie eine Auswahl ausgestopfter Vögel aus dem Smithsonian Institute. Diese Stereografien brachten die Wunder dieser Welt in die Wohnzimmer. Die Stereoskopie war eine visuelle Technologie, die in bis dahin noch nie dagewesenem Maß die Ausbreitung der Fotografie förderte. Große Firmen beauftragten Fotografen, in ferne Länder zu reisen, und veröffentlichten gegen Ende des 19. Jahrhunderts Zehntausende von Ansichten pro Tag. Diese Kultur des Betrachtens, die sich zu einer regelrechten visuellen Gefräßigkeit auswuchs, überlebte bis auf den heutigen Tag: Tierbilder sind allgegenwärtig, obwohl die Tiere selbst allmählich aus der Natur verschwinden.

Warum also fotografieren wir Tiere? Eine einzige Antwort auf diese Frage gibt es offensichtlich nicht. Die Fotografie kann ein Instrument zur Ausübung von Kontrolle sein, ein Medium des Handels, sie kann aber auch von reiner Neugier motiviert sein und von Mitgefühl. Der Akt des Fotografierens, das »Aufnehmen« oder »Schießen«, kann als Versuch gedeutet werden, die Natur mithilfe von Technik zu beherrschen – oder als Ausdruck unserer Zuneigung zu Tieren. Gefühle verändern sich mit der Zeit, und Fotos spiegeln Einstellungen, formen sie aber auch mit. Die Fotografie hilft uns, mehr über das Verhalten von Tieren zu lernen, in die wir unsere Fantasien projizieren.

Ist die Vermenschlichung von Tieren schlecht oder hilft sie uns, mehr Mitgefühl für unsere tierischen Verwandten zu wecken? Welche Rolle werden technische Fortschritte in der Fotografie spielen, wie KI? Wohin wird die Zerstörung der Natur führen? Gibt es noch Hoffnung? Vielleicht sprengen diese Fragen den Rahmen unseres Buchs, aber zweifellos besteht eine Verbindung zwischen den hier abgedruckten Fotos. Warum wurden sie gemacht? Wofür verwendet? Wie könnte sich ihre Aussage mit der Zeit verändern? Wie fühlt man sich, wenn man sie betrachtet? Und was ist mit den fotografierten Tieren? Bei allem, was wir tun, sollten wir daran denken, wie es sich auf sie auswirkt.

For unusual Photographs of Animals ring John Gay 01 340 6715

30 Cholmeley Crescent London N.6 5HA

August 28, 1948

PICTURE POST

HULTON'S NATIONAL WEEKLY

AUGUST 28, 1948

PHOTO-FINISH
HOW IT WORKS

Vol. 40. No. 9

4D

David Fairchild, Feldheuschrecke *Hippiscus* sp., *Book of Monsters,* 1914

Bruno D'Amicis, drei Monate alter Wüstenfuchs, zum Verkauf angeboten, Tunesien, 2014

Eder u. Valenta.   Versuche mit Röntgen-Strahlen.

Frösche in Bauch-und Rückenlage.

Joseph Maria Eder, Röntgenexperiment mit Fröschen, Wien, 1896

Professor Dotterweich's
Röntgen'sche Stereoscop-Aufnahme

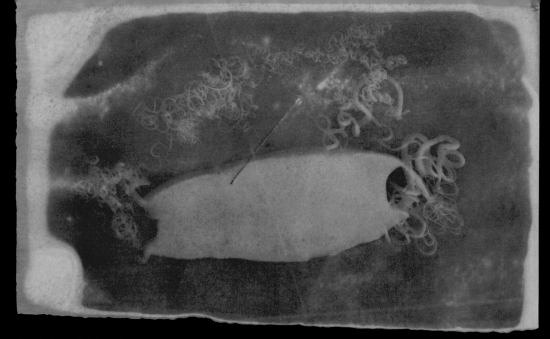

Sarah Anne Bright, Eikapsel eines Katzenhais, 1840

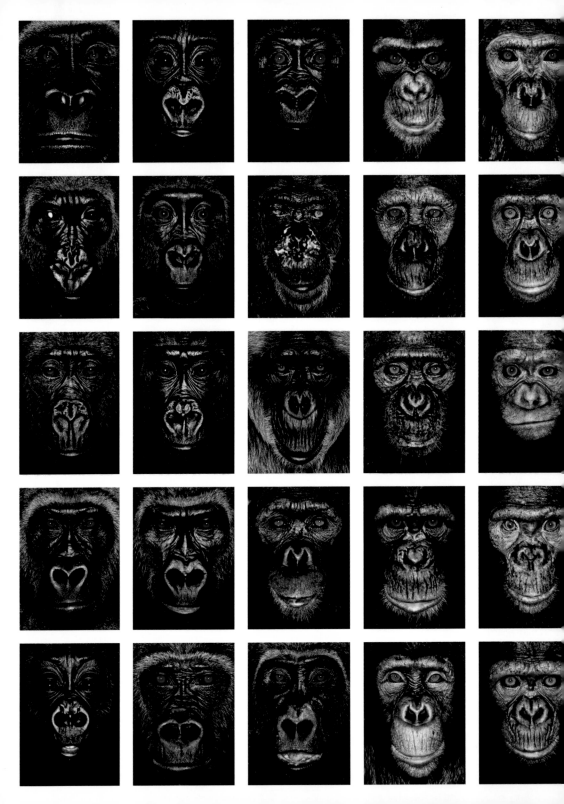

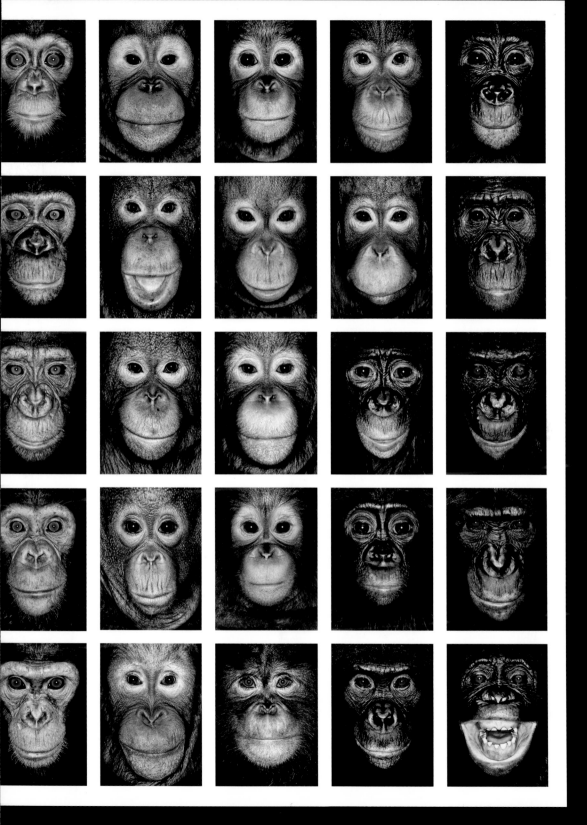

Wundersames Leben

»Denn in allem Natürlichen liegt etwas Wunderbares.«

Aristoteles

AM 10. SEPTEMBER 1940 streift der Teenager Marcel Ravidat mit seinem Hund Robot durch die Wälder bei Montignac in Südfrankreich. Schon lange hatte es geheißen, dass hier in der Gegend ein Schatz vergraben sei. Robot, der immer wieder hinter Kaninchenfährten herschnüffelt, verschwindet plötzlich in einem ungewöhnlich geformten Loch. Marcel erweitert es, kriecht hinein und findet sich in einer dunklen unterirdischen Kammer wieder. Der Schatz, den die beiden soeben gefunden haben, ist eine Sammlung von mindestens 17 000 Jahre alten Kunstwerken. »Eine Prozession von überlebensgroßen Tieren, auf Wände und Decke der Höhle gemalt. Jedes Tier schien sich zu bewegen«, beschreibt der Junge später seinen Fund. Die Höhle von Lascaux, wie wir sie heute nennen, beherbergt einige der frühesten bekannten Beispiele menschlichen Kunstschaffens. Man sieht Pferde, Hirsche, Auerochsen und Wisente, einen Vogel, einen Bären und sogar ein Wollnashorn. Und entdeckt hat diese einzigartige Werke ... ein Hund!

Ein paar Jahre später, als in Europa wieder Frieden eingekehrt war, bricht der Fotograf Ralph Morse nach Montignac auf, um die ersten Farbfotos der Höhle aufzunehmen. Er muss sich seinen Weg freigraben, damit er seine ganze Ausrüstung hineinschaffen kann, und stellt einen eigens aus London bestellten Generator auf, um Wände und Decke auszuleuchten. »Eine große Herausforderung war es, dort Kabel zu verlegen und die Ausrüstungsteile an Seilen hinunterzulassen. Aber als das Licht dann endlich brannte ... Wow!«, erinnert er sich später.

Als seine Fotos 1947 um die Welt gehen, ist die weltweite Begeisterung groß. Ab dem folgenden Jahr darf das Publikum den Höhlenkomplex betreten, doch weil das von den Besuchern ausgeatmete Kohlendioxid sowie die von ihnen mitgebrachten Sporen und anderen kontaminierenden Elemente die Felszeichnungen gefährden, wird der öffentliche Zutritt 1963 untersagt. Heute dürfen jedes Jahr nur einige wenige Personen in die Höhle, um Beschädigungen zu begutachten – ein geheimnisvoller Schimmelpilz ist die neueste Bedrohung – und die Kunstwerke vor dem endgültigen Verschwinden zu bewahren. Man sollte sich fragen, ob lebende Tiere mit derselben Sorgfalt behandelt werden.

Morse arbeitet für die Zeitschrift *LIFE*, und weil diese in der Geschichte der Fotografie des 20. Jahrhunderts eine wichtige Rolle spielt, wollen wir hier genauer auf sie eingehen. Als unterhaltsames Wochenblatt gab es sie

Die Tierbilder der Höhle von Lascaux werden der Welt vorgestellt, Pressefoto, 1940
–
Rechts sitzt Marcel Ravidat, der die Höhle entdeckte, Tausende von Jahren nachdem die herrlichen Geschöpfe an Wände und Decken gemalt wurden. Insgesamt sind es über 600 Darstellungen von Tieren, u. a. von Pferden, Kühen, Stieren, Hirschen, Wölfen, Bären, Löwen und sogar einem Nashorn.

seit den 1880er Jahren, doch als die Weltwirtschaftskrise die Goldenen Zwanziger ablöst, verliert sie Abonnenten. Um nicht bankrott zu gehen, muss sie sich stärker an den Zeitgeist anpassen, und der Mann, der das bewerkstelligt, ist der Verleger Henry Luce. Er ist davon überzeugt, dass Bilder nicht nur Texte illustrieren, sondern selbst Geschichten erzählen.

Die 1936 wiederbelebte (und nun in Großbuchstaben geschriebene) *LIFE* wird zum ersten amerikanischen Fotomagazin und beherrscht jahrzehntelang den Markt. In ihren besten Zeiten werden wöchentlich über 13 Millionen Exemplare verkauft. Ihr Einfluss auf die visuelle Kultur ist immens, der auf den Fotojournalismus nicht mehr wegzudenken. Bis 1972 bleibt sie eine Wochenzeitschrift, dann kommt sie bis 2000 nur noch einmal im Monat heraus und wird schließlich ganz eingestellt. Jahrzehntelang präsentieren ihre Seiten die besten Produkte der Fotoindustrie. Morse ist nur einer von Hunderten, die für das Magazin tätig sind, doch zeigt seine Karriere die große Bandbreite an Themen auf, die die Fotograf:innen bearbeitet haben.

Morse fühlt sich im Atelier ebenso zu Hause wie in einer Höhle oder einem Weltraumbahnhof. Er liebt es, kreativ zu sein, und besitzt genügend Selbstvertrauen, um zu improvisieren. Boxende Kängurus? Kein Problem! Astronauten? Klar! Hollywood-Stars? Warum nicht! Um Raketenstarts zu filmen, verwendet er höchst komplizierte ferngesteuerte Kameras; um Gibbons anzulocken, genügt ein Büschel Bananen.

In den neuen Fotomagazinen wimmelt es nur so von Tieren, gleichgültig, ob die Schwerpunkte ihrer Berichterstattung auf Sport, Wirtschaft, Politik oder Unterhaltung liegen. Als Symbole, in der Wissenschaft, in der politischen Reportage oder dort, wo die Lesenden zum Lachen gebracht werden sollen: Auf die Wirkung von Tierbildern ist stets Verlass. Zwar behaupten Puristen, das erste Bild in LIFE sei das eines nach Luft schnappenden, soeben geborenen Menschenbabys gewesen, doch das tatsächlich

Ralph Morse, Mehrfachbelichtung eines Gibbons, 1965

–
Veröffentlicht in »Private Life of Primates«, einem zweiteiligen Fotoessay in *LIFE*, Februar 1965.

Fritz Goro, Königin-Drücker-
fisch, 1953, und Nina Leen,
Bambusotter, 1963
–
Das *LIFE*-Projekt »Creatures of
the Sea« (»Meeresgeschöpfe«)
nahm zwei Jahre in Anspruch.
Goros Arbeitsbereich erstreckte
sich von den Bahamas bis nach
Australien. Leens Coverstory
»Fearsome Fascinating World
of Snakes« (»Furchterregende
faszinierende Welt der Schlangen«) erkundete mithilfe von
Fotos die Gefühle, die Menschen diesen berüchtigten
Reptilien entgegenbringen.

allererste Foto in dieser Zeitschrift ist das eines Orang-Utans, mit dem in
einer Anzeige für einen Ethanoltreibstoff geworben wird.

Auch weitere Tiere finden sich in dieser ersten Nummer: Ein Hundetrio
wirbt für amerikanischen Whiskey, mit eng an sich gedrückten Haustieren
flüchtet eine Familie vor einem Tornado, und auf Reproduktionen der Werke
von John Steuart Curry warten Zirkuselefanten auf ihren nächsten Auftritt. Es
gibt viele Reisefotos: ein verschlafenes brasilianisches Dorf mit einem Hund
im Vordergrund, der, wie wir aus der Bildunterschrift erfahren, »Flöhe hat«.
Es gibt Aufnahmen von Laysanalbatrossen auf dem pazifischen Midway Atoll
und von den lustigen Flugbegleitern, die deren Nistkolonie als improvisierten
Golfplatz missbrauchen. Es gibt Pferde aus dem neuen Warner-Brothers-Film
Der Angriff der leichten Brigade und einen (in Farbe) abgedruckten Dalmati-
ner, der auf der Umschlagrückseite für die Zigarettenmarke Lucky Strikes wirbt.
Insgesamt steckt also bereits die allererste Ausgabe von *LIFE* voller Tiere.
Das i-Tüpfelchen aber findet man mitten in dieser Nummer: eine Ausklapp-
seite über Spinnen! Genauer gesagt über Witwenspinnen, auch
Schwarze Witwen genannt. Der dazugehörige Text berichtet, dass
George Elwood Jenks »diese tödlichen Insekten vor Kurzem zu seinem Hobby gemacht« hat. Er fotografiert die Tiere, die alle anderen
Menschen von Herzen hassen, weil er mehr über sie herausfinden
will. »Kann ein geplagter Ehemann vom traurigen Schicksal der
Männchen dieser Gattung lesen, ohne Mitgefühl mit den armen
kleinen Geschöpfen zu verspüren?«, fragt der Herausgeber. Ignorieren Sie bitte ausnahmsweise den frauenfeindlichen Ton und konzentrieren Sie sich dafür auf diesen Gedanken: Wie können Fotos
uns dazu bringen, uns stärker in Tiere einzufühlen?

Im Lauf der folgenden Jahrzehnte füllt sich *LIFE* mit sehenswerten Tierbildern. Anfangs bringt das Magazin natürlich Unmengen von Geschichten über Hunde, Nutztiere und preisgekrönte
Haustiere. Doch mit ihrem Ansehen wächst das Budget. Fritz Goro
leitet ein Team, das bemerkenswerte Storys über Korallenriffe und
Meeresschildkröten liefert, und begibt sich später sogar auf eine
Arktisexpedition. Nina Leen nimmt es mit giftigen Schlangen auf
und danach mit Vampirfledermäusen. Stan Wayman durchstreift
auf der Suche nach Tigern den indischen Dschungel. John Dominis
wandelt auf den Fährten afrikanischer Großkatzen und befasst sich
anschließend mit Buckelwalen. Und Co Rentmeester zieht es nach
Borneo, um über bedrohte Orang-Utans zu berichten. Mit Quietsch-
spielzeug und Leckerchen im Gepäck besucht Francis Miller in Washington zwei muntere Beagles. Seine Fotos schaffen es aufs Titel-
blatt: Präsident Johnsons kleine Lieblinge sind ein Hit!

1958 startet eine Artikelserie zur Feier des hundertjährigen
Jubiläums von Darwins Evolutionstheorie. Fototeams werden aus-
geschickt, um »die wilden Orte und seltsamen Geschöpfe aufzusuchen, die ihn zu dieser bedeutsamen Erkenntnis anregten«. 1960
bringt die Zeitschrift rechtzeitig zu Weihnachten ein Buch mit dem
Titel *The Wonders of Life on Earth* heraus, von dem in weniger als
einem Jahr über 230 000 Exemplare verkauft werden. Insgesamt
gehen die sechs Bände der neuen Reihe »Nature Library« mehr als

eine Million Mal über den Ladentisch. Das ist ein in der Fotoindustrie bis dahin noch nie erreichtes Niveau.

»Dogs in America« ist einer der zahllosen Artikel über Hunde – die beliebtesten aller Tiere. Neu an diesem 1949 erschienenen Artikel aber sind die durchgehend farbigen Fotos. Den längsten Teil ihrer Geschichte über ist die Zeitschrift überwiegend in Schwarz-Weiß gehalten. Das hängt auch mit ihrer selbst erwählten Rolle als Chronistin internationaler Neuigkeiten zusammen, denn diese machen ein rasches Drucken erforderlich, während Farbdruckverfahren damals nicht nur teuer, sondern auch langwierig sind. Eine mit dem Radio aufgewachsene Generation ist dankbar, zu den gehörten Nachrichten Bilder angeboten zu bekommen. Doch als das Fernsehen aufkommt, hat die Zeitschrift ein Problem. In den 1960er Jahren entscheiden sich die Herausgeber, die hohen Kosten des Farbdrucks in Kauf zu nehmen, um dem Fernsehen durch den Einsatz von mehr Farbe Konkurrenz zu machen – mit Erfolg. Als es in den 1970er Jahren finanziell eng wird, kommt die bis dahin wöchentlich erscheinende Zeitschrift nur noch einmal im Monat heraus, aber ihre Fotograf:innen liefern weiterhin Bilder, die informieren und unterhalten, schockieren und faszinieren.

Eine von ihnen ist Nina Leen. Sie lebt in Deutschland, Italien und der Schweiz, bevor sie in die USA umzieht, wo sie in den 1940er Jahren eine der ersten Fotografinnen von *LIFE* wird. Ihr Debüt in der Zeitschrift sind Schildkröten aus dem New Yorker Zoo, doch am Ende ihrer beachtlichen Karriere kann sie auf über 50 Titelgeschichten zurückblicken – und ihre Leidenschaft

Nina Leen, Lanzennasen im Flug, Kline Biology Laboratory, Yale University, Connecticut, 1968
–
Anfangs gruselte sich Leen vor Fledermäusen, doch nachdem sie sich eine Weile mit ihnen beschäftigt hatte, fand sie sie derart fesselnd, dass sie unbedingt ein Buch über sie herausbringen wollte. Sie arbeitete in Zoos, Forschungslabors und einer riesigen Fledermaushöhle in Texas, in der Millionen von Fledermausweibchen von der Decke hingen und ihre Jungen säugten.

»Wissen ist keine Garantie dafür, dass man etwas schützt, aber man kann nicht etwas schützen, wenn man gar nicht weiß, dass es existiert.«

Sylvia Earle

Preisverleihung des Wettbewerbs Wildlife Photographer of the Year, 1966
–
David Attenborough (links) gratuliert Roger Dowdeswell, dessen Farbfoto eines Waldkauzes bei dem neu ins Leben gerufenen Wettbewerb gewann.

für Fledermäuse nicht mehr ablegen: »Ich wollte diese wunderbaren Kreaturen in Bildern zeigen, weil Worte einfach davonfliegen«, erklärt sie und verfasst einen Bestseller über Fledermäuse, der viel zur Besserung des Ansehens dieser Tiere beiträgt. Sie bringt Bücher über Schlangen und Affen heraus, und eines über »Hunde aller Größen«. Ihr Bildband *And Then There Were None* (»Und dann waren keine mehr da«, 1973) dokumentiert das Verschwinden wild lebender Tiere in Nordamerika, mit *Taking Pictures* (»Fotos machen«) will sie 1977 Kinder zum Fotografieren ermutigen. Doch derjenige Auftrag, der sich auf ihr Leben und Werk wohl am nachhaltigsten auswirkt, ist einer, der ihrem Kollegen Leonard McCombe erteilt worden war. 1949 fotografiert er in Texas, als er einen von Flöhen befallenen, geschwächten Welpen entdeckt, der beim Kadaver seiner toten Mutter ausharrt. Weil er das Tier nicht sich selbst überlassen will, schickt er es als Lebendfracht zur New Yorker *LIFE*-Redaktion, und Leen adoptiert es. Der Hund, den sie Lucky tauft, steigt in kürzester Zeit zu Amerikas Lieblingshaustier auf. Leen nimmt ihn überall hin mit und berichtet über seine weiteren Abenteuer in einer Artikelserie, einem Kurzfilm und ihrem meistgelesenen Buch *Lucky, the Famous Foundling* (»Lucky, der berühmte Findling«, 1951). Wieder einmal zeigt sich, wie stark Hunde und eine gute Geschichte das Publikum ansprechen.

* * *

»Ich bin nicht die Art von Tierfreund, der alles tätscheln will, was niedlich aussieht, aber ich bin von Tieren besessen.« So David Attenborough über sich selbst. Den möglicherweise herausragendsten Tierfilmer aller Zeiten braucht man nicht vorzustellen. Viele der Projekte, an denen er beteiligt ist, setzen Maßstäbe für Qualität und Innovation und beeinflussen Hunderte, wenn nicht gar Tausende andere Dokumentarfilmer. Attenboroughs Leidenschaft und technisches Können, vor allem sein Respekt gegenüber der Natur begeistern Millionen.

In den 1950er Jahren, als seine Karriere beginnt, sind die meisten wild lebenden Arten noch nicht erfasst oder sogar unbekannt. In vielerlei Hinsicht ist dies das goldene Zeitalter des Naturdokumentarfilms, und die Teams kommen auf ständig neue Ideen, um Tiere in ihren natürlichen Lebensräumen aufzunehmen. Der österreichische Zoologe und Taucher Hans Hass und seine Frau Lotte bringen zahlreiche Meeresbewohner zum ersten Mal in die Wohnzimmer, Disney projiziert Tiergeschichten auf die Leinwand und räumt mit seinen Dokumentarfilmen zahlreiche Preise ab. Zu diesem Zeitpunkt sind der Ursprung des Lebens und die Struktur der DNA noch unenthüllte Geheimnisse, und die Vorstellung, dass Kontinente über die Oberfläche des Planeten treiben könnten, erscheint lachhaft.

Wissenschaft findet in erster Linie in Labors und Museen statt, doch nach Kriegsende wagt sich eine neue Generation von Forschenden ins Feld hinaus. Attenboroughs Vision ist es, deren Erkenntnisse in Bilder und Filme umzuwandeln, die gleichzeitig bilden und unterhalten. Schätzungen zufolge sehen ungefähr 500 Millionen Menschen weltweit seine ab 1979 ausgestrahlte 13-teilige TV-Serie *Life on Earth*, deren Drehbücher er geschrieben hat und die er moderiert. Es ist die mit Abstand ambitionierteste Dokumentarserie aller Zeiten. Sein Team filmt und fotografiert 650 Arten in 39 Ländern – in Farbe! 1984 folgt *Die Erde lebt*, und seine Studien über Tierverhalten, *Spiele des Lebens*, kommt ab 1990 ins Fernsehen. Die bemerkenswerten Aufnahmen von Schwertwalen, die vor der Küste Patagoniens Seelöwen jagen, und von Schimpansen, die gegen Schwarz-weiße Stummelaffen kämpfen, rufen starke Reaktionen hervor. Es folgt noch spezialisierteres Filmmaterial, ermöglicht durch Fortschritte in Kameratechnologie und Logistik.

Life in the Freezer ist 1993 die erste TV-Serie, die sich mit der Natur der Antarktis befasst. Die zwei Jahre später präsentierte Serie *Das geheime Leben der Pflanzen* zeigt erstmals Zeitrafferaufnahmen. Auch *Das Leben der Säugetiere* stellt 2002 Pionierarbeit vor, weil mithilfe von schwachem Licht und Infrarot das bisher unbekannte Leben nachtaktiver Tiere gefilmt wird. Und *Verborgene Welten – Das geheime Leben der Insekten* kann dank Makrofotografie die Welt der Wirbellosen detailliert enthüllen.

Attenborough gibt bescheiden zu, dass seine Kameraleute den Löwenanteil zu den Filmen beitragen. Oft filmen sie unter schwierigsten Bedingungen, mitunter müssen sie Wochen oder Monate ausharren, bis ihnen die angestrebten Aufnahmen gelingen. Doch manchmal braucht es nur eine einzige Person mit einer guten Kamera und dem spezifischen biologischen Wissen. Deshalb weist Attenborough auf Doug Allan hin, der hoch oben im Himalaja einsam in seinem Versteck ausharrt, um für *Planet Erde* die ersten Videoaufnahmen von Schneeleoparden zu machen.

Attenboroughs Karriere ist lang und von großen Erfolgen gekrönt, er ist der Einzige in der Branche, der sowohl für Filme in Schwarz-Weiß als auch in Farbe, in HD und in 3D mit Preisen der BAFTA (British Academy of Film and Television Arts) ausgezeichnet wird. Seine Kameraleute entwickeln besondere Techniken, um scheue Tiere zu filmen, angefangen von seltenen Fröschen über fliegende Fledermäuse bis hin zu Attenboroughs Begegnung mit Berggorillas in Ruanda, die er als einen der besonderen Momente in seinem Leben ansieht. Rund 20 neu entdeckte Arten hat man nach ihm benannt, darunter ein ecuadorianischer Laubbaum, ein Habichtskraut, ein flugunfähiger Rüsselkäfer, ein Langschnabeligel, eine madegassische Garnele sowie der prähistorische Plesiosaurier *Attenborosaurus*.

Aber warum fotografiert oder filmt man Tiere? »Die Leute müssen merken, dass die Natur wichtig und wertvoll ist und wunderbar und verblüffend und angenehm anzuschauen«, erklärt er. »Es kommt mir vor, als wäre die Natur das Aufregendste überhaupt, das Allerschönste und das Interessanteste von allem. Sie ist die Quelle von so vielem, was das Leben lebenswert macht.«

(Unten) Koko, ein weiblicher Westlicher Flachlandgorilla. Selbstporträt auf dem Cover von National Geographic, 1978
-
Die im Zoo von San Francisco geborene Koko erlernte von der Forscherin Francine »Penny« Patterson von Kindheit an eine Gebärdensprache. Koko beherrschte schließlich über tausend Zeichen und verstand mehr als 200 gesprochene englische Wörter. Angeblich soll sie von der Zeitschrift für das Selbstporträt 750 US-Dollar Gage erhalten haben – genug Geld, um sich viel Obst und Joghurt von ihrer Lieblingssorte »Nektarine« zu kaufen.

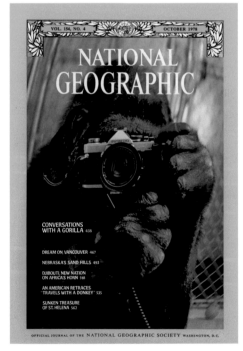

(Oben) Ami Vitale, *Sudan*, 2018
–
Der Nationalpark-Ranger Joseph Wachira tröstet in der Ol Pejeta Wildlife Conservancy Station in Kenia den letzten lebenden Nördlichen Breitmaulnashorn-Bullen, kurz bevor dieser für immer einschläft.

Sudan, das letzte männliche Nördliche Breitmaulnashorn wird im März 2018 von seinem Pfleger Joseph Wachira beim Sterben begleitet. Die Fotografin Ami Vitale macht berührende Fotos von seinen letzten Augenblicken, im Auftrag einer Zeitschrift, die in allen Ländern der Welt gelesen wird. »Es fühlte sich an, als beobachte man den eigenen Tod«, erklärt Vitale. »Die Spezies dieser riesigen Geschöpfe hat Millionen von Jahren überdauert und konnte uns, die Menschheit, dennoch nicht überleben.«

Die Zeitschrift ist *National Geographic* – sie inspirierte und beauftragte viele der in diesem Buch vertretenen Fotograf:innen. In ihrer Breitenwirkung wird sie möglicherweise nur von Attenborough übertroffen, und sie gewinnt sogar dann noch an Bedeutung, als *LIFE* einknickt. *National Geographic* druckt einige der besten Tierfotos der Branche ab. Ein Artikel, der Ende 2020 in der Zeitschrift erschien, wirft interessante Fragen auf: Was waren die bisher beeindruckendsten Bilder des 21. Jahrhunderts? Und wie kann man die Geschichten des Jahrhunderts am besten mit Bildern erzählen? Bei den Fotos zu kürzen, muss ein hartes Stück Arbeit gewesen sein, da das Unternehmen eigenen Schätzungen zufolge allein in jenem Jahr mehr als 1,7 Millionen Bilder herausgebracht hat.

Interessanterweise zeigen viele der als »Beste-des-Jahrhunderts« ausgewählten Fotos Tiere. Aufgrund der Stammleserschaft von *National Geographic* überrascht dies zwar nicht, doch es ist angesichts der Entwicklung der Fotografie von der Daguerreotypie zum Digitalbild beeindruckend, dass man wieder überall Tiere sieht. Das erste Bild des Online-Foto-Features ist das eines neugierigen, drei Meter langen Seeleoparden, der in eisigen antarktischen Gewässern junge Pinguine jagt – ein Bild, das aufzunehmen noch kurze Zeit zuvor völlig undenkbar war. Denn die Kamera – und sogar ein Teil des Kopfs des Fotografen Paul Nicklen – stecken im Maul des Seeleoparden. »Dieses Bild und die damit verbundene, von Liebe, Humor und Abenteuer erfüllte Geschichte veränderten mein Leben«, erzählt Nicklen. »Sie ermöglichen es mir, Menschen von ihren Vorurteilen gegenüber missverstandenen Raubtieren abzubringen.«

Durch Tierfotos können wir neue Geschichten erzählen und fest zementierte Narrative verändern. Sie wecken unsere Aufmerksamkeit. Aber wie lange dauert es, bis wir wieder wegschauen? 2007 lösen die von Brent Stirton aufgenommenen Bilder von getöteten Gorillas – Kollateralschäden des in der Region grassierenden illegalen Holzkohlehandels – im kongolesischen Nationalpark Virunga einen Sturm der Entrüstung aus. Trotzdem sind diese Gorillas immer noch stark gefährdet, durch Klimawandel und zunehmenden Lebensraumverlust. Etwas ermutigender ist vielleicht Charlie Hamilton James' Foto eines Grizzlys, der im Grand-Teton-Nationalpark von einem Bisonkadaver frisst. Eine wahrheitsgetreue, ehrliche Aufnahme: Der Bär ist alles andere als kuschelig, aber in seiner Natürlichkeit schön. Zwar war die US-Bärenpopulation in den 1960er Jahren auf 600 Individuen geschrumpft, doch stieg sie bis 2010 dank von der US-Regierung auferlegter Schutzmaßnahmen auf nahezu 1000 Tiere an.

Bei Anand Varmas Foto einer männlichen Schafskrabbe muss man genauer hinschauen, denn sie ist kein normales Krebstier, sondern eine Art Zombie, der von einem parasitischen Rankenfußkrebs befallen wurde. Varma verbrachte Jahre damit, Parasiten wie diesen zu erforschen, die über andere Tiere die totale Kontrolle übernehmen. Der Rankenfußkrebs weitet den Hinterleib der Krabbe zu einer Bruthöhle für seine Eier. Fotos schenken uns Einblicke in derart seltsame Realitäten der Natur. Sie lassen uns Gedankenreisen unternehmen und Dinge erleben, die wir uns niemals erträumt hätten.

Das vielleicht berühmteste aller Tierfotos dieses Jahrhunderts ist Vitales Porträt von Wachira und dem Nashorn Sudan. Vitale begegnete dem Nördlichen Breitmaulnashorn Sudan erstmals 2009 und widmet sich seither der Aufgabe, das Schicksal dieser von Wilderern nahezu ausgerotteten Unterart zu dokumentieren. Die Macht der Plattform *National Geographic* erstreckt sich natürlich weit über den Bereich der gedruckten Zeitschrift und der Fotoausstellungen hinaus. Das Instagram-Konto @NatGeo war die erste Marke, die – abgesehen von Instagram selbst – 2015 die 25-Millionen-Followergrenze überschritt und mittlerweile über 200 Millionen Follower hat. Ein einzelner Post von Sudan in seinem Feed erreicht ein Publikum von einer Dimension, die sich Fotografen des 19. Jahrhunderts niemals hätten vorstellen können.

Dieser Post verschaffte nicht nur der Ausrottungsproblematik, sondern auch der wichtigen Arbeit, die Menschen wie Nationalparkranger Wachira leisten, die dringend benötigte Beachtung. Fotos erzählen von Verlusten, feiern aber auch kleine Siege. Für das Nördliche Breitmaulnashorn zeichnet sich ein Hoffnungsschimmer ab, es gibt noch zwei weibliche Tiere. Forschende versuchen, mittels In-vitro-Befruchtung ein Wunder zu bewirken und mittels medizinischer Technologie jahrhundertealte Fehler auszugleichen.

(Rechts) Brent Stirton, Ranger und Einheimische tragen den Kadaver eines Berggorillas, Virunga-Nationalpark, 2007
–
In den illegalen Holzkohlehandel verwickelte Menschen töteten insgesamt sieben Gorillas. Die Verbrecher hatten es auf die wertvollen Hartholzbäume im Nationalpark abgesehen und brachten die Gorillas nur deshalb um, weil sie die Ranger einschüchtern wollten.

(Folgende Doppelseite) Charlie Hamilton James, ein männlicher Grizzlybär verjagt Raben von einem Bisonkadaver, Grand-Teton-Nationalpark, Wyoming, 2015
–
Die Grizzly-Populationen der US-Nationalparks Grand Teton und Yellowstone sind seit den 1970er Jahren geschützt, doch weil sie mittlerweile angewachsen sind, wurde vorgeschlagen, die Jagd auf Grizzlys außerhalb der Nationalparks zu erlauben. Tierschützer sind nicht nur wegen des Schicksals dieser Bären besorgt, sondern auch wegen der zu erwartenden ökologischen Konsequenzen.

Xavi Bou

XAVI BOU *ist für sein Projekt* Ornithographies *bekannt, in dem die Schönheit der Flugbahnen von Vögeln sichtbar gemacht werden. Seine Arbeiten wurden in* National Geographic *und anderen großen europäischen Printmedien veröffentlicht. Sein Werk* Ornithographies *stellte er bereits in Australien, den Niederlanden, den USA, Spanien, der Schweiz, Frankreich, Russland und Griechenland aus.*

Haben Sie ein Lieblingsfoto, das Sie selbst aufgenommen haben? Das sind vermutlich meine Starenfotos, die die Komplexität und Schönheit fliegender Schwärme darstellen. Die Interaktion mit den Habichten und die Beziehungen der Artgenossen untereinander sind absolut faszinierend.

Gibt es ein historisches Foto, das Sie sehr bewundern? Ich denke da an die Nachtaufnahmen von George Shira für *National Geographic*. Für mich stehen sie für die Magie des Unbekannten. Indem er bis an die Grenzen der ihm damals zur Verfügung stehenden Möglichkeiten ging, gelangen ihm diese zauberhaften Bilder.

Oft heißt es, die Fotografie könne die Welt verändern. Würden Sie das bestätigen? Die Fotografie kann die Welt verändern, wenn es ihr gelingt, einen Bewusstseinswandel der menschlichen Tiere herbeizuführen, die den Planeten beherrschen. Es ist schon so oft gesagt worden, aber wir können es hier ruhig wiederholen: Man kann nicht etwas lieben, das man nicht kennt.

Hat ein Tierfoto Sie jemals dazu veranlasst, Ihr Leben zu hinterfragen? Ich kannte die Bilder, die den Reichtum der Regenwälder darstellten. Als ich dann Fotos von Brandrodungen sah, die Platz für Rinderweiden schaffen sollten, veränderte ich meine Ernährungsgewohnheiten. Es waren also ganz schön einflussreiche Fotos! Ich versuche jetzt, weniger Fleisch zu essen, und wenn ich mir doch etwas gönne, dann vergewissere ich mich, dass es von verantwortungsbewussten Farmen aus meiner Umgebung stammt.

Sind Tierfotos wichtig? Fotografie ist ein Mittel, das Menschen seit über hundert Jahren meistens dafür nutzen, um das zu zeigen, was ihnen in positivem oder negativem Sinn wichtig ist. Der Aufstieg der Fotografie spiegelt das fortdauernde Interesse an Tieren in der Gesellschaft. Dennoch behandeln wir Tiere schlechter als jemals zuvor. Viele Menschen finden durch die Fotografie Zugang zur Natur – einige von ihnen hätten sich noch vor einigen Jahren wohl eher eine Flinte angeschafft als eine Kamera. Das ist also eine gute Entwicklung. Aber es beendet leider noch immer nicht die Grausamkeiten gegenüber Tieren.

Möchten Sie unseren Leser:innen noch etwas sagen? Der große Unterschied zwischen der Chronofotografie und meiner Arbeit ist folgender: Erstere ist eine Bewegungsstudie; sie zeigt die Position des Tierkörpers in jedem Augenblick, sodass man diese untersuchen kann. Ich dagegen schieße mehrere Fotos pro Sekunde, sodass die Bilder überlappen, die Silhouette des Körpers verloren geht und man gar nicht mehr richtig weiß, was man da anschaut. Theoretisch zeigt meine Fotografie Bewegung an sich, in diesem Fall also Flug, und nicht einen fliegenden Vogel. Ich finde, das ist eine wichtige Unterscheidung. Ein wunderbares, faszinierendes Bild, das die Spur eines Tiers ist. Es ist das Tier, aber gleichzeitig auch nicht das Tier. Etwas anderes, etwas neues. Ich fotografiere Tiere, um neue Schönheit zu entdecken, die sonst verborgen bliebe.

Gemeine Stare, Ebro-Delta, Katalonien, 2019

(*Ganz oben*) Mauersegler, Palafrugell, Katalonien, 2020
(*Oben*) Graureiher (mit Rotmilan im Baumwipfel), Lleida,
Katalonien, 2016

»Ich möchte die verborgene Schönheit
des Vogelflugs zeigen. Durch diese
Muster verändere ich die Wahrnehmung
von Zeit und helfe vielleicht mehr
Menschen, die unendliche Schönheit
der Natur zu erkennen.«

Xavi Bou

Alexander Semenov

ALEXANDER SEMENOV ist ein russischer Meeresbiologe und Experte für Wirbellose. Er leitet das Taucherteam der Biologischen Station am Weißen Meer der Moskauer Lomonossow-Universität. Sein Fachgebiet ist die wissenschaftliche Makrofotografie in natürlicher Umgebung.

Beschreiben Sie ein selbst aufgenommenes Tierfoto, das Sie nie vergessen werden. Ich schoss ein Foto von einem Riesenoktopus, nachdem sich mein Kumpel das Tier Sekunden zuvor vom Leib gerissen hatte. Der Oktopus hatte ihn mit seinen Fangarmen so vollständig umfangen, dass nur noch die Schwimmflossen und Pressluftflaschen herausschauten. Davor hatte der Oktopus mich angegriffen, indem er mein Bein festhielt und auf meinen Kopf zu klettern begann, doch ich konnte ihn mit dem freien Bein wegtreten und mich befreien. Als ich etwas an der Kamera veränderte und um das Tier herumschwamm, um es zu fotografieren, wickelte es sich um meinen Freund.

Beschreiben Sie ein Tierfoto, von dem Sie bedauern, es nicht gemacht zu haben. Das waren sich paarende Ruderschnecken. Wir sind drei Monate unter dem Eis getaucht, weil wir für eine TV-Dokumentation Flügelschnecken filmten. Es gab schon einiges an Material, aber noch nie hatten wir eine Paarung beobachten können. Eines Tages tauchte ich ohne Kamera in meinem geliebten Weißen Meer, um zu Forschungszwecken lebende Exemplare zu sammeln, und begegnete ganzen vier Ruderschnecken-Pärchen.

Welches ist das einflussreichste Tierfoto aller Zeiten? Diese Frage lässt sich nicht beantworten. Doch wir könnten sie aus unterschiedlichen Perspektiven betrachten. So zog David Slaters »Monkey Selfie« eine weitreichende Diskussion über Urheberrecht und Ethik nach sich. Außerdem ist es ein witziges Bild, das über das Internet eine weite Verbreitung fand. Schopfaffen wurden davor kaum beachtet, doch der neue Tourismus könnte zum Schutz ihres Lebensraums beitragen. Bedeutungsvoller ist Brent Stirtons *Memorial to a Species* mit dem toten Nashorn. Bilder von Elefanten in Ketten, von Eisbären auf winzigen Eisschollen – sie alle können uns ansprechen und etwas verändern. Oder aber auch nicht. Viele großartige Bilder gehen einfach im Lärm des Lebens unter, weil andere Dinge lauter schreien.

Und warum fotografieren Sie Tiere? Um die Welt zu studieren, in der wir leben. Um anderen Leuten zu zeigen, was ich sehe. Um Kinder auf die Idee zu bringen, Wissenschaftler:in werden zu wollen. Um die Lücken in unserem Wissen zu füllen. Es sind so viele, dass es noch für viele Generationen Arbeit geben wird. Um der Wissenschaft Schönheit einzuhauchen. Um meinem Leben Schönheit hinzuzufügen. Ich könnte tausendundeinen Grund anführen, warum ich es tue. Ich liebe es, und ich kann dafür so viele Bedeutungen finden, wie ich nur will.

Möchten Sie die positiven Auswirkungen beschreiben, die eines Ihrer Fotos hatte? Ach, das ist einfach. Mehrere Leute schrieben sich deshalb im Institut für Biologie meiner Universität ein, weil sie meine Fotos gesehen und die Geschichten gelesen hatten, die ich online veröffentlichte. Und sie alle wollten die Unterwasserwelt studieren.

Oft heißt es, die Fotografie könne die Welt verändern. Würden Sie das bestätigen? Nein, eigentlich nicht. Ich glaube, dass nur Wissen die Welt verändern kann. Fotografie kann die Welt zeigen und darauf hinweisen, was geändert werden muss. Sie kann Neugier erwecken und Wissensdurst. Aber wenn man nicht weiß, was geändert werden muss, kann man die Welt auch nicht verbessern. In unserer überladenen Medienwelt gestehe ich der Fotografie keine große Macht zu. Ich betrachte Tag für Tag Hunderte von Fotos und vergesse sie gleich wieder. Andererseits brachte mein Quallenfoto jemanden dazu, Meeresbiologie zu studieren. Und dadurch hat sich die Welt dieser Person sicherlich verändert. Man kann es aus unterschiedlichen Perspektiven betrachten.

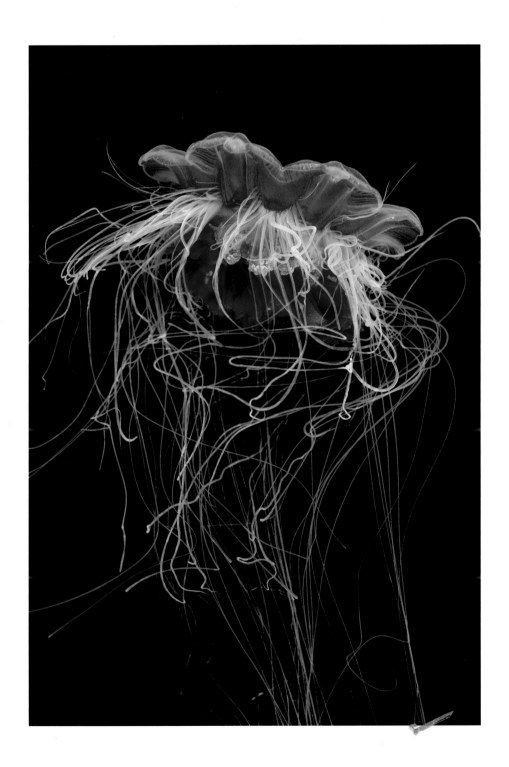

Gelbe Haarqualle, Velikaya-Salma-Straße, Weißes Meer, 2019

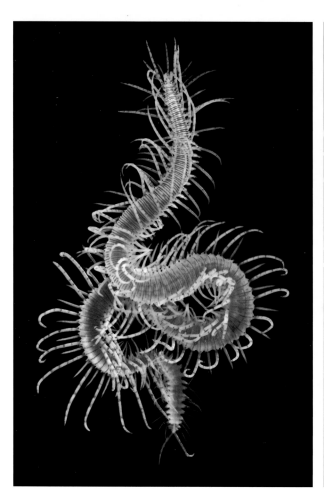

»Tierfotografie dokumentiert die Vielfalt, Schönheit und Seltsamkeit der Welt, in der wir leben. Viele Menschen haben keine Gelegenheit, mit eigenen Augen das anzuschauen, was Fotografen ihr Leben lang einfangen. Fotos bieten ihnen diese Möglichkeit.«

Alexander Semenov

(Oben) Syllis maganda und *Lanice viridis,* zwei Vielborster-Arten, Lizard Island Research Station nahe des Großen Barriereriffs, Australien, 2013
(Rechts) Ruderschnecke, Biologische Station am Weißen Meer, Russland, 2016
(Folgende Doppelseite) Pazifischer Riesenkrake, Vityaz-Bucht, Japanisches Meer, 2012

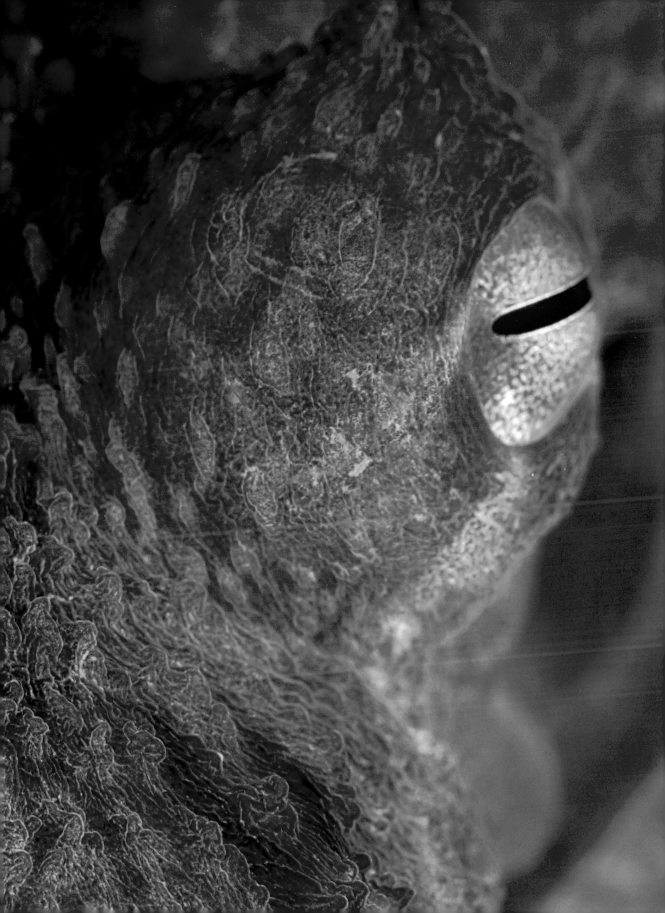

Sergey Gorshkov

SERGEY GORSHKOV *wuchs in einem Dorf in Sibirien auf. Im Alter von etwa 30 Jahren entdeckte er die Fotografie als einen Weg, sich wieder auf die Natur einzulassen. Er verkaufte seine Firma, um mit seinen Fotos die Schönheit und Vielfalt Russlands zu dokumentieren. 2020 wurde er mit dem Wildlife Photographer of the Year Grand Title ausgezeichnet.*

Gibt es ein Foto oder eine Fotoserie, die Sie besonders interessant fanden? Die Natur ist es, die mich inspiriert, nicht die Arbeiten anderer. Ich suche ständig nach etwas Neuem. Immer wenn ich hinausgehe, halte ich die Augen offen und bringe meine Kreativität ein. Manchmal genügt es auch, einfach nur draußen in der Natur zu sein. Warum ich es so liebe? Weil es mir ermöglicht, im Okavango-Delta einen Leoparden brüllen zu hören oder das Schnattern von Gänsen, die über die Taimyr-Halbinsel fliegen. Oder auf einer Klippe der Wrangelinsel zu stehen und die beißende Kälte eines antarktischen Winds zu verspüren. Oder auf einem Vulkan auf Kamtschatka die Hitze der glühenden Lava.

Haben Sie jemals Ihre Kamera für ein Foto riskiert? Die Kameras müssen den schwierigsten Situationen und ungemütlichsten Wetterbedingungen standhalten. Und manchmal werden sie von Löwen oder Bären angeknabbert und zerkratzt oder am Flughafen gestohlen.

Haben Sie jemals Ihr Leben für ein Foto riskiert? Ich glaube, das habe ich schon oft getan. Wenn ein Bär einen fressen will, wird er das auch tun. Meistens wollen sie es ja nicht, aber man kann sich da niemals sicher sein. Jeder Bär ist anders. Man muss versuchen, derartige Situationen einfach nach Möglichkeit zu vermeiden.

Was hoffen Sie zu erreichen? Ich versuche, dort zu fotografieren, wo noch nie jemand fotografiert hat. Ich versuche, zu Tageszeiten zu fotografieren, zu denen nur wenigen gute Bilder gelingen. Ich will Dinge finden, die ich nie zuvor gesehen habe.

Hat ein Tierfoto Sie jemals dazu veranlasst, Ihr Leben zu hinterfragen? Als ich zum ersten Mal in die Arktis kam, sah ich all diese echten Bilder der Natur. Mir wurde klar, dass ich um jeden Preis versuchen muss, Bilder der Tiere zu machen, die in dieser faszinierenden Region überleben.

Möchten Sie die positiven Auswirkungen beschreiben, die eines Ihrer Fotos hatte? Als ich mein erstes Buch über Bären veröffentlichte, bekam ich Briefe von Jägern. Viele von ihnen gaben die Jagd auf, tauschten ihr Gewehr gegen eine Kamera ein und fingen an, wild lebende Tiere zu fotografieren. Ich freue mich, dass meine Fotos ihre Welt verbessern konnten. Vor vielen Jahren filmte ich auf der Wrangelinsel einen Bären, der an alten rostigen Benzinfässern vorbeilief. Ich veröffentlichte dieses Foto in einer Zeitschrift und postete es in meinen sozialen Netzwerken. Zum Glück sahen Verantwortliche der russischen Regierung mein Foto, und es trug dazu bei, dass die russische Arktis von einer großen Menge leerer Fässer befreit wurde.

Oft heißt es, die Fotografie könne die Welt verändern. Würden Sie das bestätigen? Ich habe die negativen Auswirkungen menschlicher Aktivitäten auf wild lebende Tiere mit eigenen Augen gesehen. Meine Angst wächst von Jahr zu Jahr. Die Welt, die ich filme, ist in Gefahr und wird immer ärmer. Viele Tiere und vor allem Vögel sind verschwunden, viele werden bald aussterben, ganz gleich, ob uns das gefällt oder nicht. Ich habe aber auch beachtliche Anstrengungen erlebt, Tiere in ihren Lebensräumen zu schützen. In unserer Welt ist die Fotografie ein wichtiges Instrument des Naturschutzes. Fotos beeinflussen das Bewusstsein der Menschen, und diese beginnen, die Natur mit anderen Augen zu sehen.

(Oben) Ein Polarfuchs stiehlt ein Gänseei, Wrangelinsel, 2011
(Folgende Doppelseite) Ein Eisbär läuft am Gletscherrand entlang,
Nationalpark Russische Arktis, Franz-Josef-Land, 2017

Ein Sibirischer Tiger markiert sein Revier, um von potenziellen
Paarungspartnern gefunden zu werden, Sibirien, 2019

Tim Laman

TIM LAMAN ist ein amerikanischer Ornithologe, Tierfotograf und Filmemacher. Auf Forschungsexpeditionen im Auftrag des Cornell Lab of Ornithology dokumentierte er alle Paradiesvogelarten in ihren natürlichen Lebensräumen. Erstmals veröffentlicht wurden diese Fotos 2007 in einem Artikel in National Geographic.

Erinnern Sie sich, welches das erste Tier war, das Sie fotografiert haben? Es waren Schwarzmilane, als ich in der Abschlussklasse meiner High School in Kobe, Japan, war. Ich kletterte auf einen Baum, um ein Küken im Nest zu fotografieren. Dieses Foto habe ich heute noch.

Gibt es ein Foto oder eine Fotoserie, die Sie besonders interessant fanden? David Doubilets Arbeit weckte mein Interesse an Meeresbewohnern. Mark Moffets unglaubliche Makroaufnahmen von Ameisen und anderen kleinen Tieren eröffneten mir eine vollkommen neue Welt.

Und warum fotografieren Sie Tiere? Ich liebe es, neue Orte zu erkunden, und wenn ich Tiere fotografiere, habe ich ein Ziel. Ich verspüre gern das »Jagdfieber« und die künstlerische Herausforderung: ein ganz besonderes Foto aufzunehmen, das noch niemandem zuvor gelungen ist, ein einzigartiges Verhalten auf spektakuläre Weise festzuhalten, oder etwas völlig Unerwartetes zu enthüllen.

Mein Foto eines Großen Paradiesvogels bei Sonnenaufgang in Indonesien 2010 ist ein gutes Beispiel dafür: Es war einer der seltenen Momente in meiner Laufbahn, in dem ein Bild aus meiner Vorstellung wahr wurde. Mehrere Tage hintereinander kletterte ich im Dunkeln zuerst auf den Baum, auf dem sich der Vogel immer präsentierte, um eine mit Blättern getarnte ferngesteuerte Kamera zu montieren. Dann kletterte ich auf einen zweiten, benachbarten Baum und versteckte mich mit meinem Laptop in dem in der Krone befestigten Versteck. Laptop und Kamera waren durch ein von Krone zu Krone laufendes Kabel verbunden. An jenem Tag flog das Männchen noch vor Sonnenaufgang herbei. Aber es blieb, rief und präsentierte sich, und als die Sonne aufging, beleuchtete sie den Vogel und den im Urwalddach hängenden Nebel. Ich sah die Szene auf dem Laptopmonitor und drückte auf den Auslöser.

Wenn man draußen in der Natur und überdies aufgeregt ist, weiß man gar nicht so genau, wie die Aufnahmen geworden sind. Doch ich wusste in jenem Moment sofort, dass mir ein ganz besonderes Foto gelungen war. Ich erinnere mich gut daran, wie mein Herz raste. Das Foto kam auf eine Doppelseite von *National Geographic* und wurde beim Wettbewerb Wildlife Photographer of the Year ausgezeichnet. Besonders stolz aber bin ich darauf, dass dieses Bild zu Erhaltungsmaßnahmen für Paradiesvögel als Botschafter für den Schutz der Regenwälder von Neuguinea beitrug. Ich habe fast zehn Jahre gebraucht, um dieses Foto zu machen.

Sind Tierfotos wichtig? Ich weiß, dass es abgedroschen klingt, aber die Leute wissen nun mal nur das zu schätzen, was sie kennen. Ohne die Fotos der Paradiesvögel Neuguineas gäbe es weniger Protest gegen die Zerstörung jener Wälder. Und natürlich besteht ein Unterschied zwischen zufällig geschossenen Tierfotos und preisgekrönten Wildtieraufnahmen professioneller Fotojournalist:innen. Auch im Internet wissen die Menschen Letztere zu schätzen. Preisgekrönte Fotos lösen wesentlich mehr Engagement aus. Deshalb glaube ich, dass qualitativ hochwertige Aufnahmen immer noch sehr wichtig sind. Henry David Thoreau schrieb, dass es nicht um das geht, was man anschaut, sondern um das, was man sieht. Das bezog sich nicht auf die Fotografie, aber es beschreibt genau, wie ich über Fotografie denke. Man schaut sich in der Welt um, aber was von all dem, das man sieht, will man auf einem Foto festhalten? Mit dieser Überlegung zu arbeiten, ist auf eine eigenartige Weise befriedigend.

Was bedeutet Ihnen die Fotografie? Sie bietet die Möglichkeit, die unbekannten Wunder der Natur zu erkunden, zu dokumentieren und zu enthüllen, um sie Menschen zugänglich zu machen, die sie niemals unmittelbar erleben könnten.

Ein Orang-Utan klettert auf eine Früchte tragende Würgefeige,
Nationalpark Gunung Palung, Borneo, Indonesien, 2015

(Links oben) Viktoria-Paradiesvogel, Atherton Tablelands, Australien, 2008
(Links unten) Strahlenparadiesvogel, Arfak-Gebirge, Westpapua, Indonesien, 2009
(Oben) Kleinparadiesvogel, Oransbari, Westpapua, Indonesien, 2009

Melissa Groo

MELISSA GROO erzählt als Fotografin und Autorin von wild lebenden Tieren, damit sie besser geschützt werden. Sie begeistert sich für Tieraufnahmen, die sowohl künstlerisch als auch naturgetreu sind, sodass sie beim Betrachten Staunen und Empathie hervorrufen.

Gibt es ein Foto oder eine Fotoserie, die Sie besonders interessant fanden? Das sind alle Aufnahmen der Fotograf:innen, die Mitglieder der International League of Conservation Photographers sind: jedes Foto, das sowohl ein Tier zeigt, als auch das, was es bedroht. Die wahre Kunst besteht darin, beides harmonisch miteinander zu verbinden. Ich versuche immer noch, sie zu erlernen. Ich glaube, ich muss laufend weiter lernen, wie man solche Bilder macht.

Was hoffen Sie zu erreichen? Auf dem Gebiet der Naturfotografie sollten Fotograf:innen meiner Meinung nach gründlich über die Auswirkungen ihrer Arbeit nachdenken. Ethik ist für mich in dieser Hinsicht sehr wichtig, und ich habe zu diesem Thema bereits mit zahlreichen Organisationen, Medien und Wettbewerbskommissionen zusammengearbeitet. Ich habe auch viel darüber geschrieben, doch ich weiß, dass ich selbst nicht perfekt bin. Auch ich mache Fehler, aber wir alle sollten das bei unserer Arbeit im Hinterkopf behalten und uns mit unseren Fotos unbedingt für die Tiere einsetzen, die wir beim Fotografieren ständig stören.

Wissen Sie, ob eines Ihrer Fotos positive Auswirkungen hatte? Ich habe ein Foto gemacht, das zeigt, wie Gebäude das Leben von Zugvögeln zerstören. Es zeigt zwei Scharlachkardinale. Sie sind tot, und darum ist es ein trauriges Bild, aber dennoch auch ein sehr schönes. Und offenbar regt es Menschen dazu an, etwas zu verändern. Ich habe schon von vielen entsprechenden Reaktionen gehört. Die National Audubon Society und die American Bird Conservancy erwarben es zu Informationszwecken.

Oft heißt es, die Fotografie könne die Welt verändern. Würden Sie das bestätigen? Auf jeden Fall. Ich glaube, die Fotografie ist heute mächtiger als jemals zuvor. Ein Foto kann viral gehen und über die sozialen Netzwerke innerhalb von Sekunden in alle Welt verschickt werden. Außerdem lesen die Leute nicht mehr so viel. Stattdessen schauen sie sich Bilder an. Keiner hat Zeit, und wir sind sehr visuelle Wesen und tragen unsere Handys, diese kleinen »Bilderbücher«, überall mit uns herum. Für Fotograf:innen ist es eine tolle Zeit. Andererseits werden wir Tag für Tag mit Bildern bombardiert, daher müssen wir sichergehen, dass sich die eigenen Bilder von denen der Masse abheben. Am ehesten schafft man das, wenn man authentisch bleibt und eine Geschichte erzählen kann. Außerdem wohnen immer mehr Menschen in Städten, und Fotos wild lebender Tiere sind für viele die einzige Möglichkeit, die Natur kennenzulernen. Daher wird es immer wichtiger, dass wir Naturfotograf:innen uns an die Wahrheit halten, vom Naturschutz erzählen und die Betrachtenden nicht täuschen – und damit die Menschen mit der echten, natürlichen Welt ein Stück weit in Verbindung bringen.

Sind Tierfotos wichtig? Fotos wild lebender Tiere können ästhetisch und wissenschaftlich zugleich sein, auf eine ganz besondere, elegante Weise. Das ist wichtig, denn Forschenden fällt es gewöhnlich schwer, ihre Entdeckungen einem breiten Publikum mitzuteilen. Die Fotografie kann in diesem Bereich unglaublich wirksam sein. Ich finde das aufregend und auch extrem wichtig.

Was bedeutet Ihnen die Fotografie? Fotografie ist der sichtbar gewordene Ausdruck meiner Liebe zu den Tieren.

Rotluchsmutter mit ihrem Jungtier, US-Bundesstaat New York, 2015

»Ich fotografiere, um in der Natur
Frieden und Trost zu finden. Das ist
die einzige Zeit, in der alles andere
von mir abfällt. Es ist so ähnlich wie
Meditation.«

Melissa Groo

(Links) Eine Amerikanische Zwergseeschwalbe wärmt unter
ihren Flügeln zwei Küken, fotografiert in der Nähe von Ocean City,
New Jersey, 2018
(Oben) Zwei Scharlachkardinale liegen tot in einem Kleebeet,
nachdem sie gegen eine Glastür geflogen waren, New York, 2010

Dina Litovsky

Stadtgeschöpfe

DINA LITOVSKY *ist gebürtige Ukrainerin und lebt in New York. Sie bezeichnet ihre Fotografie als visuelle Soziologie und lotet mit ihren Bildern Konzepte wie Freizeit, Subkulturen und soziale Dynamiken aus. 2020 wurde sie mit dem Stern-Preis ausgezeichnet, dem renommiertesten deutschen Preis für Fotojournalismus.*

DER FÜR SEINE witzigen Hundebilder bekannte Fotograf Elliott Erwitt sagte einmal, dass er Hunde gern möge, weil es ihnen nichts ausmache, fotografiert zu werden, und weil sie keine Abzüge verlangen. Das mag für die Hunde zutreffen, aber nicht unbedingt für ihre Besitzer, die ständig die Instagram-Konten ihrer Fiffis im Auge behalten. Als ich 2017 für die Zeitschrift *TIME* Hundeparks fotografierte, nannten sie mich »Puparazzi«, also Welpen-Paparazzo. Seit Erwitt anonyme Hunde ablichtete, haben sich die Zeiten definitiv geändert.

Bevor ich weiterschreibe, muss ich etwas gestehen: Ich bin ein Katzenmensch. In einem New Yorker Appartement mit einem Hund zusammenzuleben, hielt ich noch nie für eine gute Idee. Dennoch ist das East Village fest in Hundepfoten, und tagtäglich beobachte ich die Menschen, die hinter ihren geliebten Vierbeinern deren Häufchen aufheben, teils amüsiert und teils verwundert. Als ich mit meinem Hundeparkprojekt begann, fragte ich mich, was ein Hundeporträt interessant machen könnte.

Können wir das Foto eines Tiers überhaupt als Porträt bezeichnen? Wahrscheinlich hängt das davon ab, um welche Art von Tier es geht und in welchem Maß wir diese Art zu vermenschlichen vermögen. Wir neigen dazu, niedlicheren Tieren eine höhere Komplexität zuzuschreiben, sie sympathisch zu finden und ihnen beinah-menschliche Eigenschaften anzudichten. Außerdem fühlen wir uns jenen Tieren

näher, die wir als Haustiere behandeln, und lesen aus ihrem Aussehen Stimmungen heraus, die wir bei anderen Tieren nicht voraussetzen würden. Mit anderen Worten ist es wohl einfacher, sich ein Katzenporträt vorzustellen als ein Schlangen- oder Flusspferdporträt.

Hunde lassen sich sehr leicht vermenschlichen, und wir tun es bei ihnen vermutlich öfter als bei jedem anderen Tier. William Wegman gebührt in dieser Kategorie die höchste Auszeichnung, hat er seine Weimaraner doch 50 Jahre lang in jeder nur möglichen Verkleidung fotografiert. Die lustigen Bilder besetzen ein Niemandsland, das irgendwo zwischen Porträt, Modefoto und Meme angesiedelt ist. Auf den ersten Blick mögen sie skurril wirken, doch hinter dem Gag verbergen sich Metaphern über das menschliche Wesen. Wir lachen nicht über die Hunde, sondern über das Spiegelbild, das sie uns vorhalten.

Nachdem ich drei Hundeausstellungen des Westminster Kennel Club im Madison Square Garden dokumentiert hatte, wusste ich mehr über Hunderassen, als ich jemals für möglich gehalten hätte. Für jede Rasse und, was noch wichtiger ist, für jeden Rassehundbesitzer, braucht es eine andere Herangehensweise. Die majestätischen afghanischen Windhunde vertragen kein direktes Blitzlicht. Es verstört sie und ihre Besitzer noch viel mehr. Lärm dagegen macht ihnen weniger aus. Möpse sind zugänglich und neugierig, aber irgendwie auch einschüchternd. Ich wurde das Gefühl nicht los, dass sie mir bewusst einen Gefallen taten, wenn sie für mich posierten. Außerdem sind sie diejenige Hunde, die am wahrscheinlichsten einen Instagram Account besitzen.

Englische Bulldoggen sind resigniert und gelassen. Sie zu fotografieren, war leicht, denn sie ließen mich mein Ding machen, ohne auch nur im geringsten anzudeuten, dass sie meine Existenz bemerkt hatten. Vizslas sind so etwas wie Royals.

»Ich kann Katzen nicht ästhetisch proträtieren, weil mein Bedürfnis, mit ihnen zu schmusen, unweigerlich süße Postkartenbilder entstehen lässt. Mit Hunden ist es anders. Ich will mehr über sie herausfinden und bleibe cool.«

Ich wusste gar nicht, dass es diese Rasse gibt, bis ich im Washington Square Park Nova kennenlernte; ich kam mir vor, als sei ich der britischen Königin begegnet. Zwergspitze sind übersensibel. Pitbulls sind einfach nur unglaublich liebenswert – schlau, aufgeschlossen, ruhig und neugierig. Zu meinem eigenen Erstaunen merkte ich, dass ich am liebsten mit Tico geschmust hätte, einem zweijährigen Pitbull-Terrier, der mir geduldig in einem Tulpenbeet Modell stand.

Der ruchlose Straßenfotograf Garry Winogrand sagte, dass wir uns vor Fotos von Hunden und von Kindern in Acht nehmen sollten, weil sie nie so gut sind, wie wir meinen. Das beschreibt so ziemlich genau meine Grundangst, wenn ich Tiere fotografiere: die Angst davor, niedliche Bilder zu machen. Wie es sich herausstellte, muss man gar kein Hundemensch sein, um Hundefotos zu machen. Genauer gesagt kann der Umstand, dass man kein Hundemensch ist, einen vor den dunklen Mächten einer verkitschten Bildsprache retten.

* * *

Als ich meine Laufbahn in der Fotoindustrie begann, schätzte man mich vor allem wegen meiner Fotos des Nachtlebens. Ich wurde zur Partyfotografin mehrerer New Yorker Printmedien. Ein paar Jahre lang machte es mir wirklich Spaß, und ich dokumentierte alles, von zwielichtigen Eckkneipen bis hin zu den Bällen der feinen Gesellschaft. Plötzlich aber war ich Mitte 30, die von der ständigen Nachtarbeit verursachten Augenringe zeichneten sich deutlicher ab, aber ich hing immer noch im Partyleben fest.

Die Fotografie ist eine schwierige Branche, denn die Zeitschriften stecken Fotograf:innen gern in Schubladen. Hat man also einige Jahre damit verbracht, in einem bestimmten Genre besonders gut zu werden, gilt man als Experte für diesen Bereich und muss jahrzehntelang kämpfen, um zu beweisen, dass man auch etwas anderes gut kann. Nachdem ich fünf Jahre lang überwiegend gesellschaftliche Ereignisse abgelichtet hatte, sehnte ich mich nach etwas anderem, nach irgendetwas Neuem ... Und wenn es Rattenfotos wären!

Als ich 2018 den Auftrag des *New York Time Magazine* bekam, war ich erst einmal sprachlos. Ich habe mich nie besonders vor Ratten gefürchtet (denn schließlich sind sie ja einfach nur Eichhörnchen mit kahlen Schwänzen), aber ich konnte mir nicht vorstellen, eine Ratte zu fotografieren. Das Projekt war für die alljährlich erscheinende Reisenummer geplant, und in dem Jahr sollte es um den Sound der Großstädte gehen. Dass ich New York abbekam, wunderte mich weniger, doch was mich wirklich überraschte, war die Vorstellung, dass Rattenlaute der Sound von New York sein sollten.

Wenn Ratten kommunizieren, bekommen wir nicht viel davon mit. Weil sie sich auf einer anderen Frequenz unterhalten als wir, sollten die Aufnahmen mit einem Ultraschallmikrofon gemacht werden. Sobald man ihre Gespräche in eine tiefere Frequenz überträgt, hört man ein ganzes Universum von Lauten. Nicht nur reden Ratten die ganze Zeit miteinander, weil sie Artgenossen umwerben oder vor Gefahren warnen, sondern sie lachen auch. Ihre pulsierenden Lachlaute klingen nicht wirklich menschlich, sind für uns aber trotzdem sofort als Lachen zu erkennen. Ich lernte auch, dass Ratten gern gekitzelt werden, was hemmungsloses Gekicher auslöst.

Im Laufe der letzten Jahre gelang es mir, die Partyfotos hinter mir zu lassen, und jetzt bekomme ich die unterschiedlichsten Aufträge. Dennoch zählen die Ratten immer noch zu meinen Favoriten. Ich konnte unseren schnurrhaarigen kleinen Nachbarn einiges an Respekt verschaffen, denn schließlich tun sie nichts anderes als wir auch – sie versuchen, in dieser verrückten großen Stadt zu überleben.

Tico, der Pit Bull, im Tulpenbeet, New York, 2017

Ratte, fotografiert für das *New York Times Magazine*, 2018

Ein neuer Tag, ein neuer Einblick in die wundersame Welt der Tiere. Es begann mit einer Frage, nein, eigentlich mit zwei Fragen: Wenn ein Tier gesegnet werden kann, bedeutet das, dass es eine Seele hat? Und wenn es eine Seele hat, darf man es dann trotzdem essen? Das waren die Gedanken, die mir durch den Kopf gingen, als ich den alljährlich stattfindenden Tiersegen in der New Yorker Kathedrale St John the Divine fotografierte.

Diese Segnungen sind keine neue Mode, denn sie werden schon seit über dreißig Jahren erteilt. Trotzdem wissen die meisten gebürtigen New Yorker nichts davon. Jedes Jahr im Oktober werden kleine und große Tiere zur Upper West Side gebracht, damit sie im Namen ihres Schutzheiligen, des heiligen Franziskus, gesegnet werden können. Als ich dabei war, nahmen u. a. eine Spinne, eine Ratte, ein Habicht, eine Kuh, ein Pferd, ein paar Eulen und ein Dromedar an der Prozession teil. Eine große Schildkröte wurde in einem Wägelchen befördert, damit sie den Zug nicht durch ihre Langsamkeit aufhielt. Hinterher versammelten sich die Priester im Garten, um die von den Gläubigen mitgebrachten Haustiere zu segnen, überwiegend Hunde, aber auch einige Katzen und Papageien. Alles in allem war es ein für mich sehr seltsamer Nachmittag.

Ich bin weder religiös noch Vegetarierin. Bezüglich des Essens bin ich »Gelegenheitarierin«: Anfangs war ich eine gierige Fleischesserin, doch nachdem ich ein paar Bücher über industrielle Tierhaltung gelesen hatte, verwandelte ich mich für kurze Zeit in eine begeisterte Veganerin. Weil ich dann aber merkte, ohne Käse und Butter nicht leben zu können, wurde aus mir eine Pescetarierin. Schließlich schloss ich mit mir selbst einen Kompromiss: Ich esse ein bisschen von allem, Fleisch allerdings nur noch bei seltenen Gelegenheiten.

Mein Fototermin bei der Tiersegnung weckte in mir alte, schwelende Konflikte. Die Behutsamkeit, mit der mit sämtlichen Tieren umgegangen wurde, fand ich sehr bewegend, trotzdem wurde ich das Gefühl nicht los, dass die Tiere nur Requisiten in einer kunstvollen Inszenierung waren. Aus diesem Grund bemühte ich mich, niedliche Fotos zu vermeiden, und stellte das Ritual stattdessen als leicht verstörend dar. Ich fotografierte jedes Tier als Einzeldarsteller. Sogar ein Igel wurde behandelt, als wäre er ein kostbares Objekt, König für einen Tag.

Bei der Tiersegnung verschwammen teilweise die Kategorien, denen Tiere normalerweise zugeordnet werden, wie Haustier/Nutzvieh oder süß/abstoßend. Derartige Unterscheidungen wurden irrelevant. Zuschauer durften die von mehreren Betreuern beaufsichtigten Tiere gelegentlich streicheln. Ein Teenagermädchen hatte eine braune Ratte im Arm und genoss es, zu beobachten, wie die Leute zuerst das zahme Tier streichelten und dann erst merkten, dass sie gerade eine New Yorker Ratte liebkost hatten. Die freundliche Miene wurde schnell von einem Ausdruck des Entsetzens und dann einem der Verwirrtheit ersetzt. Hier in dieser Kirche wurde eine Ratte ebenso liebevoll behandelt wie der herrliche Schimmel. Für diesen einen kurzen Moment waren sämtliche anwesende Tiere gleich.

Meine Fotos wurden in der *New York Times* veröffentlicht. Der Reporter interviewte mich für seinen Artikel und unterhielt sich auch mit Bischof Daniel, dem Leiter der Veranstaltung, über die Zeremonie und die Frage, ob Tiere eine Seele haben. Auf die Antwort des Bischofs war ich gespannt, doch er meinte nur, die Beantwortung solcher Fragen läge außerhalb seiner Gehaltsstufe. Somit stand ich mit meinen moralischen und theologischen Problemen wieder allein da. An dem Abend nach der Tiersegnung gönnte ich mir ein Blumenkohlschnitzel.

(Oben) Schnee-Eule, fotografiert vor der Kathedrale St John the Divine, New York, 2018
(Folgende Doppelseite) Schildkröte und Dromedar beim alljährlichen Tiersegen, New York, 2018

Tim Flach

Das innere Tier

TIM FLACH *ist Tierfotograf und interessiert sich beson-*
ders für die Art und Weise, in der Menschen Tiere for-
men und deuten, und dafür, wie Bilder die emotionale
Bindung fördern. Er ist Ehrenmitglied der Royal Photo-
graphic Society und erhielt einen Ehrendoktortitel der
Londoner University of the Arts.

MICH INTERESSIERT, WIE wir durch die Darstellung von Tieren unser Engagement für den
Umweltschutz fördern können. Ich will Geschichten
erzählen und Porträts schaffen, die Charakter und
Persönlichkeit vermitteln. Ich habe auch schon in
der Wildnis fotografiert, am liebsten aber beschreibe
ich mit Studioaufnahmen die Schönheit von in Gefangenschaft aufgewachsenen Tieren. Indem ich die
Tiere aus ihrer alltäglichen Umgebung hole, hebe ich
ihre innere Schönheit hervor. Die Tiere auf diese
Weise zu sehen, führt uns auf eine andere Art von
emotionaler Reise. Es ist eine Spiegelung, ein kreativer
Akt, der eine innere Erforschung anregt: Was bedeutet
dieses Tier für dich?

Schauen wir uns zum Beispiel diese Perücken-
taube (links) an, einen domestizierten Vogel. Wussten
Sie, dass Darwin Tauben hielt? Er war regelrecht besessen von ihnen – sie tauchen immer wieder in seinem
Werk *Über die Entstehung der Arten* auf. Immer wenn
ich Tauben sehe, denke ich an Darwin. Ich weiß natürlich, dass dies keine weit verbreitete Assoziation ist.
Die Beziehungen zwischen Menschen und Tieren
sind komplex. Natürlich sind wir alle Tiere, doch im
Alltag kommt es ständig zu Konflikten, und auch
die Bilder von Tieren in unserem Kopf sind sehr vielschichtig. Ich finde, wir sollten gründlicher über unsere Assoziationen zu Tieren nachdenken.

Ich verstehe meine Arbeit auch als eine Fort-
setzung dessen, was viele bahnbrechende Naturforscher des 19. Jahrhunderts anstrebten: Die Natur
mithilfe der fortschrittlichsten visuellen Medien der
Zeit besser zu verstehen. Um seine meisterlichen
Naturkundebücher zu schaffen, beobachtete der
Künstler John Audubon nicht nur die Tiere, sondern
er schoss sie auch und stopfte sie aus. Vielleicht erfuh-
ren seine Werke, darunter der von Sammlern hoch
geschätzte Titel *Die Vögel Amerikas*, keine ausreichende Verbreitung. Die Fotografie ermöglicht es
uns, ein Publikum zu erreichen, von dem Audubon
damals höchstens träumen konnte. Und wir brauchen
dafür noch nicht einmal Tiere zu töten!

Bilder sind von Natur aus mehrdeutig. Auch
solche, die auf den ersten Blick ausschließlich schlicht
und beschreibend erscheinen, haben immer mehr als
nur eine Bedeutung. Wer mit Bildern arbeitet, sollte
niemals vergessen, dass sie Dinge in Bedeutungen
verwandeln, die sich niemals ganz vorhersehen lassen,
je nachdem, wer sie betrachtet. Wenn ich mit einer Art
arbeite, überlege ich, was sie symbolisiert. Es gibt viele
Tiere, die mit fiktionalen Figuren in Verbindung gebracht werden, die durch Bücher, Filme oder Werbung
bekannt sind, über deren tatsächliches Wesen man
aber nicht viel weiß.

Ich spiele mit der Ikonografie, auch um die
kulturelle Bedeutung eines Tiers zu entschlüsseln, all
die Vorstellungen, die sich um das Tier ranken, denn
sie beeinflussen, wie ein Tier gesehen wird – gleichgültig, ob es in einem Zoo, in einem Comicstrip, auf
einem Foto in einer Zeitschrift oder als Großaufnah-
me an der Wand einer Kunstgalerie betrachtet wird.
Manche meiner Ausstellungen hatten Millionen von
Besucher:innen. Mich freut, dass mein Publikum so
breit gefächert ist. Jeder Mensch sieht ein Foto anders.

Bei Tierporträts sind mir Charakter und Persönlichkeit wichtig. Vermenschlichung kann Aufmerksamkeit erregen, mich aber interessiert vor allem das,

Windows Chestnut, Araber, gezüchtet für die
Pferdeschauklasse »Halter«, Gestüt Ajman, Vereinigte
Arabische Emirate, aus der Serie *Equus*, 2008

>»Fotografie ist eine mächtige natürliche
Magie, die Menschen über den Alltag hinaushebt ...
Nie war es wichtiger, die Menschen durch
die Natur miteinander zu verbinden; unsere
Zukunft hängt davon ab.«

was Forschende als »kritische Vermenschlichung« bezeichnen. Wir können das Interesse an Umweltschutz fördern. Allerdings haben Studien gezeigt, dass romantisierende Dokumentarfilme oder Fotoberichte das Interesse an Tierschutz keinesfalls verstärken. Viele Menschen, die für Artenschutzorganisationen arbeiten, wundern sich darüber, dass schöne Bilder von Wildtieren nicht helfen, den Menschen ihr Anliegen näherzubringen. Meine Erklärung dafür ist, dass die Artenschutzbewegung, und besonders Tierfilmer, unbeabsichtigt eine Parallelwelt schufen, in der Ereignisse in der Natur allzu stark hervorgehoben werden und Menschen gar nicht vorkommen. Sie haben, mit anderen Worten, die Natur mythologisiert.

Ich habe einen anderen Ansatz. Ganz offensichtlich entwickeln Menschen Empathie für ein Tier, wenn sie eine Verbindung zu seinem Charakter herstellen können. Manche sagen, die Tiere auf meinen Fotos wirkten »unheimlich menschlich«. Auf anderen Bildern ist deutlich zu erkennen, auf welche Weise Menschen Tiere manipuliert haben. Das können Bilder von Hunde- oder Hühnerrassen sein oder von mittlerweile vom Aussterben bedrohten Arten. Ich hoffe, uns dadurch dazu ermutigen zu können, mit Tieren zu fühlen, uns in ihre Emotionen hineinzudenken und das Tier in uns allen zu erkennen.

Für eine Studie der Universität Oxford wurden Kinder 2020 gebeten, einerseits auf Fotos einheimische wild lebende Tiere und andererseits Pokémon-Figuren zu bestimmen. Die meisten Kinder erkannten mehr Pokémon-Figuren als Tierarten wieder, also besteht hier ganz offensichtlich Handlungsbedarf. Bei meiner Fotoserie *Equus* standen Pferde im Mittelpunkt, bei *DogGods* Hunde. Mit *Endangered* vermittelte ich einen Eindruck von der Vielfalt des Tierreichs, angefangen bei Wasserbewohnern bis hin zu Menschenaffen. Im Fokus steht dabei stets das Tier. Mein Hundebuch wurde in 15 Sprachen übersetzt.

Bei einem anderen Projekt beschäftigte ich mich mit Fledermäusen, die ja einen hohen Symbolwert besitzen. So etwas finde ich immer sehr hilfreich. Man denke nur an Dracula, den blutsaugenden Vampir, oder an Batman, der die Verbrecher das Fürchten lehrt. Dann ist da noch der ganze Aberglaube, der sich um Fledermäuse rankt, und alles zusammen ergibt diese faszinierende Verbindung zwischen Kultur und Natur.

Dort, wo es kulturbedingte Assoziationen gibt, kann man mit Erinnerungen an berühmte Gemälde, mit Zweideutigkeiten und wechselnden Haltungen spielen. Ich fotografiere ein Pferd und denke an das Ölgemälde von Stubbs, gleichzeitig aber auch an die unterschiedlichen Facetten des modernen Umgangs mit Pferden, die vielleicht nur Fachleuten bekannt sind. Beim Erschaffen von Bildern bewegen wir uns stets zwischen den verschiedensten Interpretationen hin und her. Es gibt Ausrutscher und Veränderungen. Und wir müssen auch die Perspektiven anderer Menschen berücksichtigen, denn dasselbe Tier kann je nach Land unterschiedlich gesehen werden.

Die Seite 171 zeigt die Aufnahme eines Hahns. Ich muss betonen, dass ich ihn nicht für das Foto gerupft habe, sondern dass es sich um den Vertreter einer federlosen Rasse handelt. Kennengelernt habe ich den Hahn an einer israelischen Hochschule für Landwirtschaft. Die Rasse wurde für Entwicklungsländer gezüchtet, in denen das Halten von kühlungsbedürftigem gefiederten Geflügel allzu hohe Kosten verursachen würde. Das Interessante, und wohl auch etwas Verstörende, an diesem Bild ist, dass der Hahn wie ein ungeschickter Balletttänzer wirkt. Er schaut uns an – uns, die wir größtenteils keine Hühner mehr selber halten, sondern sie gefroren im Supermarkt kaufen. Und das ist genau die Art, in der Millionen von uns Tieren begegnen: Tieren, die zerteilt und in Frischhaltefolie verpackt sind. Da stellt sich mir die Frage: Ist da nicht etwas gründlich falsch gelaufen?

Axolotl, in Flachs Londoner Atelier fotografiert,
aus der Serie *More than Human*, 2012

Federloser Hahn, fotografiert in der Hebräischen Universität
Jerusalem, aus der Serie *More than Human*, 2012

Niedlichkeit ist ein wirkungsvolles Instrument, das ich in meinen Arbeiten gern benutze. Der Symbolcharakter eines Tiers ist ebenso wichtig wie die Kenntnis seiner biologischen Eigenschaften. Gleichgültig, ob es sich um einen Rotkardinal handelt, der wie einer von den Angry Birds aussieht, oder aber um einen Zweifarbentamarin, der auf verblüffende Weise Yoda ähnelt – diese Assoziationen drängen sich stets auf, wenn man das Tier zum ersten Mal erblickt.

Wenn ich einen Axolotl fotografiere, will ich ihm einen Charakter geben, der ihm entspricht. Für alle, die es nicht wissen: Der Axolotl ist ein extrem seltener Schwanzlurch und vom Aussterben bedroht. Somit habe ich in Mexiko eine Art fotografiert, die wild lebend fast nicht mehr vorkommt. Um den Axolotl ranken sich alte Maya-Sagen, aber auch moderne Mythen. Die Strukturen an seinem Kopf sind keine Federn, sondern Kiemen, die ihm das Atmen unter Wasser ermöglichen. Er verfügt über unglaubliche Selbstheilungskräfte: Ein abgerissenes Bein wächst wieder nach. Ein anderer Schwanzlurch, der Grottenolm, lebt in dunklen kroatischen Höhlen. Er ist beinahe blind und überlebte den Asteroidenaufprall, der den Untergang der Dinosaurier besiegelte. Ist es nicht ein unglaubliches Geschöpf?

Als Fotografen können wir den unterschiedlichsten Tieren unsere Zeit und unsere Aufmerksamkeit schenken, in der Hoffnung, dass andere es ebenfalls tun werden. Ich möchte Menschen dazu bringen, meine Fotos länger als zehn Sekunden lang zu betrachten. Zehn Sekunden – so hat man herausgefunden – ist die Zeitspanne, die Besucher von Museen und Galerien durchschnittlich vor einem einzelnen Werk verbringen. Für die Tiere ist es wichtig, dass wir uns ihre Lebenswirklichkeit vergegenwärtigen – für alle Tiere, angefangen von den niedlichen Pandas über die charismatischen Tiger bis hin zu den weniger bekannten Saigaantilopen, den Baumfröschen und den seltenen Schwanzlurchen. Dabei geht es nicht um Vermenschlichung im herkömmlichen Sinn, sondern um das Bestreben, Gleichheit mit Andersartigkeit in Einklang zu bringen. Die Fotografie ist diejenige Methode, die sich am besten dazu eignet, eine Verbindung zwischen Menschen und nicht-menschlichen Tieren heraufzubeschwören.

Ich glaube sehr fest daran, dass wir die Wissenschaft mithilfe der Kunst in die Populärkultur hinüberretten müssen, denn nur so lassen sich die Ansichten der Menschen ändern. Die richtigen Geschichten vermögen es, Empathie auszulösen und die Menschen zum Handeln anzuregen. Es mag Ihnen naiv und allzu optimistisch vorkommen, doch ich bin davon überzeugt, dass die Fotografie Tierarten vor der Ausrottung bewahren kann. Es ist leicht, pessimistisch zu sein, und wesentlich leichter, als in unserer heutigen Welt nach Gründen für Optimismus zu suchen. Verdrängung führt zum Untergang. Wir müssen uns die Ästhetik des Wunderbaren zunutze machen.

Eier der Greiffroschart *Agalychnis annae*, fotografiert im Vivarium des Manchester Museum, aus der Serie *Endangered*, 2017

Dalmatinerwelpen aus der Serie *Dog Gods*, 2010

Stefan Christmann

STEFAN CHRISTMANN *ist ein preisgekrönter deutscher Naturfotograf und Filmemacher. In der Antarktis dokumentierte er gemeinsam mit zwei Kollegen das Leben von Kaiserpinguinen von der Geburt an. Erstmals gezeigt wurden die Aufnahmen 2018 im Rahmen der BBC-Serie* Der Clan der Tiere. *Seine damals entstandenen Fotos wurden u. a. mit dem Portfolio Award des Wettbewerbs* Photographer of the Year *ausgezeichnet.*

Gibt es ein Foto oder eine Fotoserie, die Sie besonders inspiriert hat? Das war eine Kanadagans, die an einem verschneiten Tag zwei ihrer Küken beschützt. Dieses Bild wurde auf der Titelseite der Zeitschrift *Nature's Best Photography* gezeigt. Das Foto berührte mich sehr stark auf der emotionalen Ebene, und obwohl es technisch nicht perfekt war, fand ich es sehr ansprechend. Bis heute ist es eines meiner Lieblingsfotos geblieben.

Gibt es ein Foto oder ein Gesamtwerk, das Sie besonders neugierig gemacht hat? Schwierige Frage. Mir gefielen Hans Strands Arbeiten zu Island und Art Wolfes Buch *Edge of the Earth, Corner of the Sky*. Als Art mir meinen sehr abgegriffenen Band signierte, lachte er und meinte, er fände es großartig, dass sein Buch immer wieder in die Hand genommen und nicht einfach nur im Regal verstauben würde.

Welches ist das einflussreichste Tierfoto aller Zeiten? Ich denke, dass da sehr viele Sieger des Wettbewerbs Wildlife Photographer of the Year infrage kommen. Aber für mich persönlich ist es John McColgans Aufnahme von zwei Hirschen, die sich vor einem Waldbrand in den Bitterroot River geflüchtet haben. Und natürlich Justin Hofmans Foto eines Seepferdchens, das mit einem weggeworfenen Wattestäbchen schwimmt. Beides sind sehr eindrucksvolle und nachdenklich stimmende Bilder und zugleich einzigartige Schnappschüsse.

Und warum fotografieren Sie Tiere? Sie entziehen sich meiner Kontrolle, außerdem genieße ich ihre Nähe und Gesellschaft. Manchmal fotografiere ich auch Konsumartikel, wobei ich so gut wie alles kontrollieren kann, von der Beleuchtung bis hin zum Objekt selbst. Das macht mir zwar auch Spaß, ist aber nicht annähernd so entspannend. Die Interaktion mit Tieren dagegen – oder einfach nur ihre Nähe – vermittelt mir ein Gefühl der Zufriedenheit. Für mich sind alle Tiere unschuldig. Sie hegen keine heimlichen Pläne. Das spiegelt sich in meinem Leben wider und beruhigt mich ungemein.

Sind Tierfotos wichtig? Meiner Ansicht nach gibt es vor allem zwei Arten von Bildern: Fotos, die Schönheit zeigen, und Fotos, die schlimme Dinge enthüllen. Beide sind gleichermaßen wichtig. Die »schlimmen« Fotos führen uns sehr deutlich vor Augen, dass wir Menschen nicht sorgsam genug mit unserem Planeten umgehen und andere Wesen nicht respektvoll behandeln. Diese Bilder stellen unser menschliches Handeln infrage. Mitunter vermitteln sie den Eindruck, dass es für alles zu spät ist – doch genau deshalb brauchen wir auch die schönen Bilder. Wir müssen den Menschen zeigen, wie viel Schönes auf der Welt existiert und dass es genau aus dem Grund noch immer sehr viele Orte gibt, die geschützt werden müssen.

Aber sogar ein Katzen-Meme kann auf Menschen Eindruck machen. Ich folge auf Instagram beispielsweise einem Kanal, in dem es um ein zahmes Kakaduweibchen namens Fefe geht, das in Gefangenschaft aufwuchs und begann, sich die Federn auszuzupfen. Ein Paar holte Fefe aus dem Tierheim und postet nun Videos von ihrem Alltag. Wir Menschen können uns gut um Tiere kümmern und finden das sehr erfüllend, und auch das Leben eines in Not geratenen Tiers kann eine Wendung zum Besseren nehmen. Die Bilder von Fefe werden niemals zu den besten Tierfotos des Jahres erklärt werden, und doch haben sie einen positiven Einfluss. Und das ist für mich genauso wichtig.

Schlüpfendes Kaiserpinguinküken, Atka Bay, Antarktis, 2017

»Ich fotografiere erst seit 20 Jahren
und dennoch besitze ich schon einen großen
Schatz an wundervollen Erinnerungen.
Die Fotografie hilft mir, mich als Mensch
weiterzuentwickeln.«

Stefan Christmann

(Oben) Kaiserpinguine schützen sich gegenseitig vor der Kälte,
Atka Bay, Antarktis, 2017
(Rechts) Kaiserpinguin und Küken, Atka Bay, Antarktiks, 2017

Leila Jeffreys

LEILA JEFFREYS *ist eine australische Fotografin und Videokünstlerin, die 2008 mit dem Porträtieren von Vögeln begann. Dabei arbeitet sie mit Artenschützern, Ornithologen und Vogelwarten zusammen. Bisher veröffentlichte sie drei Kunstbildbände und hatte Ausstellungen in Sydney, New York, Hongkong, Stockholm, Brüssel und Istanbul. 2023 wurden ihre Arbeiten im Rahmen der Ausstellung* Civilization *der Londoner Saatchi Gallery gezeigt.*

Welche Ihrer Tierfotos werden am häufigsten angesehen? Ich habe festgestellt, dass sich Menschen den Kakadus eng verbunden fühlen. An der Ostküste Australiens gibt es wunderschöne Rotschwanz-Rabenkakadus. Sie sind riesig, fliegen eher langsam und geben prähistorisch wirkende Laute von sich. Mein Porträt eines dieser Vögel - aber eigentlich auch aller anderen Kakadus - scheint die Menschen in ihrem Innersten anzusprechen. Sie können sich wohl sehr leicht in Kakadus verlieben. Mein Foto der Maskenschleiereule Tani ist ebenfalls sehr beliebt, genau wie mein Porträt einer Königsfruchttaube. Die Leute wundern sich, dass eine Taube so wunderschön sein kann.

Gibt es ein Foto oder aber ein Gesamtwerk, das sie besonders neugierig gemacht hat? Ich liebe die Arbeiten des finnischen Fotografen Pentti Sammallahti und Nick Brandts *Quer durch wüstes Land* (2013). Nick schoss am Natronsee in Tansania richtig unheimliche Fotos von kalzifizierten Vögeln und anderen Tieren. Das Wasser dieses Sees ist sehr stark alkalisch, es tötet und konserviert die Lebewesen, die hineinfallen. Nachdem ich diese Fotos gesehen hatte, las ich alles über den See, was ich in die Finger bekommen konnte.

Was hoffen Sie zu erreichen? Als ich mit dem Fotografieren begann, ging es mir darum zu zeigen, wie außergewöhnlich Vögel in jeder Hinsicht sind. Ich wollte die Aufmerksamkeit des Betrachters auf den flotten Look des Kakadugefieders oder den seltsamen Gesichtsausdruck einer Eule lenken. Doch je weiter ich mich als Fotografin entwickle, desto stärker wächst in mir der Wunsch, dem Betrachter das mächtige Netz von Verbindungen bewusst zu machen, das zwischen uns und den Vögeln besteht. Ich will die Verwandtschaft sichtbar machen, die zwischen Menschen und Nicht-Menschen besteht.

Gibt es ein Tierfoto, an das Sie oft denken? Paul Nicklens Foto *Suspended Grace*, das schlafende Pottwale zeigt. Ich liebe das Meer, und dieses Foto verkörpert für mich die Weite und Schönheit der Ozeane, eine unglaubliche Stille und das Friedliche des Schlafs. Schlaf ist eine Erfahrung, die uns allen, uns allen Tieren des Planeten, gemeinsam ist.

Wissen Sie, ob eines Ihrer Fotos positive Auswirkungen hatte? Häufig schreiben mir Leute, dass sie Vögel vorher niemals wirklich bemerkt hatten, es nun aber tun. Dass sie gleichsam blind waren und nun sehen und dass es Ihnen Freude macht, mehr über Vögel herauszufinden, auch über diejenigen in ihrer Umgebung. Und dass sie nun darüber nachdenken, wie sich ihr Handeln unmittelbar auf Vögel auswirkt. Es könnte vielleicht ein bisschen dauern, aber ja, ich habe die Hoffnung, dass Fotos ein positiveres Verhalten auszulösen vermögen.

Sind Tierfotos wichtig? Fotografie birgt in sich die Möglichkeit, Respekt für das zu zeigen, was man liebt. Menschen fotografieren Tiere aus den unterschiedlichsten Gründen, doch mir geht es darum, die Wunder der Natur hervorzuheben und zu versuchen, im einzelnen Menschen eine Liebe für die Tiere zu erwecken, mit denen wir unsere Welt teilen. Ich hoffe, dass ich durch die Fotografie diese Liebe in mir stärken und bei anderen eine Veränderung auslösen kann. Wie heißt es doch so schön: »Mit einer Kerze lassen sich tausend Kerzen entzünden, ohne dass die erste Kerze kürzer brennt.« Das Gleiche gilt für Glück: Es wird nicht weniger, wenn man es mit anderen teilt, sondern es wächst noch.

The Tweets, ein Wellensittichtrio, Canberra, Australien, 2018

»In der Fotografie geht es darum, eine Verbindung wiederherzustellen. Wir haben unsere Verbindung zur Natur gekappt. Die Wiederherstellung dieser Verbindung ist das, was ich anstrebe – für mich ebenso wie für andere, denn ich glaube, dass man dadurch viel Leid auf unserem Planeten lindern kann.«

Leila Jeffreys

(Oben links) Königsfruchttaube, Taronga Zoo, Sydney, 2016
(Oben rechts) Gouldamadine, Finch Society of New South Wales, Sydney, 2013
(Rechts) Melba, ein Rotschwanz-Rabenkakadu, Kaarakin Black Cockatoo Conservation Centre, Perth, Australien, 2011

Sirocco, Kakapo, Wellington, Neuseeland, 2015

Tani, Maskenschleiereule, Queensland, 2013

Anuar Patjane

ANUAR PATJANE *ist ein mexikanischer Sozialanthropologe, Fotograf und Taucher. Er fotografiert und schreibt für* National Geographic *und viele andere Umwelt- und Fotomagazine. 2016 gewann er beim Wettbewerb World Press in der Kategorie »Natur«, ferner war er Sieger des Fotowettbewerbs Traveller von* National Geographic *und wurde beim Cannes Lions International Festival of Creativity ausgezeichnet.*

Welche Naturfotograf:innen bewundern Sie am meisten? Den herausragenden Fotografen Sebastião Salgado, der sich im Laufe der letzten Jahrzehnte der Naturfotografie zuwandte. Seine Aufnahmen sind sehr ausdrucksstark und von einer reinen, klaren Schönheit. Im konventionelleren Bereich der Tierfotografie sind Paul Nicklen und Tim Laman wohl die Besten. Sie scheuen keine Mühen, um unvergessliche Fotos zu machen.

Welches ist das einflussreichste Tierfoto aller Zeiten? Es gibt Aufnahmen von einem Orang-Utan, der gegen einen Bulldozer kämpft. Seine Urwaldheimat wurde zerstört, seine Art ist vom Untergang bedroht. Es ist eine ikonische Fotosequenz, die auf traurige, aber treffende Weise unsere Zeit beschreibt.

Und warum fotografieren Sie Tiere? Ich sehe mich nicht als Tier- oder Naturfotograf, sondern ich fotografiere Menschen, die mit Tieren interagieren. Um ehrlich zu sein, finde ich die meisten konventionellen Tierfotos ziemlich langweilig. Sie sollten poetischer sein und Neugierde erwecken können.

Was hoffen Sie zu erreichen? Ich will Empathie und Verbundenheit zur Natur anregen, damit wir dummen Affen eine Beziehung zu anderen Tieren aufbauen und aufhören, sie zu missbrauchen. Wir müssen lernen, Tiere zu respektieren. Kurz gesagt sollen meine Fotos Koexistenz vermitteln.

Gibt es ein Tierfoto, an das Sie oft denken? Kevin Carters Aufnahme eines verhungernden Kinds und eines in der Nähe wartenden Geiers im Sudan ist unglaublich traurig. Über dieses Bild wurde schon viel geschrieben, aber es beeindruckt immer noch. In eine ganz andere Richtung geht Philippe Halsmans surreales Foto *Dalí Atomicus*, auf dem der Künstler in die Luft springt und ein Stuhl, Wasser sowie drei Katzen um ihn herumfliegen. Ich habe gelesen, dass Halsman 28 Versuche brauchte, bis ihm die Aufnahme gelang. Sie ist poetisch und sehr verspielt. Mir gefallen am besten Fotos, auf denen Menschen mit Tieren interagieren, oder aber Fotos, die mehr als einfach nur ein geradliniger Schnappschuss sind.

Wissen Sie, ob eines Ihrer Fotos positive Auswirkungen hatte? Ab und zu bekomme ich E-Mails von Leuten, die mir schreiben, dass sie aufgrund eines meiner Fotos mit dem Tauchen angefangen haben. Meine Bilder haben wohl auch dazu beigetragen, Menschen dabei zu helfen, ihre Angst vor Wasserbewohnern loszuwerden oder die Angst vor dem, was im Wasser unter ihnen ist. Ich empfinde diese Zuschriften als Bestätigung, alles richtig gemacht zu haben. Wer mit dem Tauchen anfängt, lernt, das Meer zu lieben, und das ist der erste Schritt auf ein Engagement für die Meere zu. Viele meiner glücklichsten Momente erlebte ich beim Tauchen, wie z. B. die unerwartete Begegnung mit einer Buckelwalkuh, die ihrem Baby beim Atmen half, während um sie herum Delfine spielten. Ich komme mir dann vor wie im Himmel.

Oft heißt es, die Fotografie könne die Welt verändern. Würden Sie das bestätigen? Ja, das kann sie, aber es ist schwer nachzuweisen. Alle Kunstformen besitzen diese Macht – die Musik und das Kino ebenso wie die Fotografie – und auch die Fähigkeit, unser Denken und dadurch unser Handeln zu verändern. Wie viele Kriege endeten, weil sich die öffentliche Meinung geändert hatte? Und was bringt die Leute dazu, ihre Meinung zu ändern? Die Fotografie und heutzutage auch Video.

(Oben) Ein Schwarm von Großaugen-Stachelmakrelen, Cabo Pulmo,
Mexiko, 2017
(Folgende Doppelseite) Eine Buckelwalkuh und ihr Kalb (und Fotografen)
bei Roca Partida vor der mexikanischen Pazifikküste, 2015

Parkranger und ein Schwarm von Großaugen-Stachelmakrelen, Cabo Pulmo, Mexiko, 2015

John Bozinov

JOHN BOZINOV ist ein neuseeländischer Fotograf und Pädagoge. Er reiste mit einem Enderby-Trust-Stipendium in die Antarktis und begleitet seither immer wieder Expeditionsschiffe mit diesem Ziel. Er hat es sich zur Aufgabe gemacht, unsere Wildnisgebiete zu schützen, und nimmt mit seinem iPhone ein Foto nach dem anderen auf.

Erinnern Sie sich, welches das erste Tier war, das Sie fotografiert haben? Ich habe schon immer sehr gern Tiere fotografiert, aber wild lebende Tiere sind für Anfänger keine besonders einfachen Objekte. Und so habe ich meinen Kater bestimmt Hunderte Male in unserem Garten oder auf dem Sofa fotografiert. Während ich den Umgang mit meiner Kamera lernte, war er meine Muse. Mein Tipp: Üben Sie am besten mit Ihren Haustieren, und wenn Sie selbst keine haben, dann freunden Sie sich schleunigst mit einigen Haustierbesitzern an!

Welches ist das einflussreichste Tierfoto aller Zeiten? Vor ein paar Jahren wurde das Foto eines abgemagerten Eisbären veröffentlicht, der aussah, als ob er nicht mehr lange zu leben hätte. Der Bär wurde von Paul Nicklen und Cristina Mittermeier fotografiert und gefilmt. Ich glaube, dieses Bild ist zu einem Symbol des Klimawandels geworden. Es ist sehr provokant.

Und warum fotografieren Sie Tiere? Mich reizen die Herausforderungen, die damit verbunden sind, ein Wildtier in seiner natürlichen Umgebung zu fotografieren. Ich kann das Tier nicht herumkommandieren oder die Beleuchtung auf meine Bedürfnisse abstimmen. Da sind nur meine Kamera und ich, und es geht darum, aus der jeweiligen Situation das Beste zu machen. Schwierige Umstände hauchen der Fotografie ihre Seele ein.

Hat ein Tierfoto Sie jemals dazu veranlasst, Ihr Leben zu hinterfragen? Vor Kurzem sah ich ein Foto des Westlichen Flachlandgorillaweibchens Mayombé. Sie ist das erste in Gefangenschaft geborene Gorillaweibchen, das nach der Auswilderung ein Baby geboren hat. Auf dem Foto hält sie ihr Kleines im Arm, und ihr Gesichtsausdruck dabei ist so menschlich, dass er meine Einstellung zu nicht-menschlichen Primaten von Grund auf verändert hat. Ein Foto kann eine Geschichte erzählen und ihren Kontext hervorheben. Dieses Bild von Mayombé steht für einen großen Schritt auf dem Weg zur globalen Erhaltung der Arten.

Gibt es ein Tierfoto, das Sie für Ihr bisher bestes halten? Polarfotos schieße ich am liebsten mit dem iPhone, auch wenn es über kein größeres Teleobjektiv verfügt. Herausragende Aufnahmen sind für mich diejenigen, die mit dem Standard-Weitwinkel des iPhones besonders schwer zu erzielen sind. Neulich konnte ich frisch geschlüpfte Pinguinküken mit ihren Müttern fotografieren, ohne sie zu stören, und auf diese Bilder bin ich ganz besonders stolz.

Sind Tierfotos wichtig? Einmal hat jemand zu mir gesagt, Zoos seien wichtig, weil sie Menschen die Gelegenheit bieten, Tiere zu betrachten, denen sie niemals in der Wildnis begegnet wären. Ich glaube nicht, dass jemand ein Recht darauf hat, ein bestimmtes Tier zu sehen. Wir sollten dafür Sorge tragen, dass die Tiere uns und den Auswirkungen unseres Handelns weniger stark ausgesetzt sind. Andererseits sind wir Menschen »Augen-Tiere«, wir müssen etwas sehen, um es schätzen zu können. Fotos von Tieren, besonders von den selteneren unter ihnen, können uns helfen, eine Beziehung zu diesen Arten aufzubauen und uns für ihren Schutz zu engagieren.

Südlicher Seebär, Deception Island, Antarktis, 2018

Kea, Arthur's Pass National Park, Neuseeland, 2014

Eselspinguin, Deception Island, Antarktis, 2016

Schaf vor dem Hengifoss-Wasserfall, Island, 2017

Papageitaucher, Saltee-Inseln, Irland, 2019

Claire Rosen

Fantastische Festmahle

CLAIRE ROSEN *ist eine Künstlerin, deren aufwendig inszenierte Installationen häufig ironisch vermenschlichte Tiere oder aber an klassische Gemälde erinnernde, symbolträchtige Stillleben zeigen. Rosen kam bisher zweimal auf die Forbes-Liste »30 under 30« der bemerkenswertesten Persönlichkeiten aus Kunst und Design und wurde von Communication Arts, IPA und Photolucida ausgezeichnet. Überdies erhielt sie den Prix de la Photographie.*

WAS ICH AN meinem Künstlerinnendasein sehr schätze, ist, dass ich die unterschiedlichsten Tiere, von Honigbienen bis hin zu Elefanten, zu festlichen Gelagen einladen kann. Meine Serie *Fantastical Feasts* verwendet die Ikonen »Bankett« und »Letztes Abendmahl«, um den Betrachtenden eine neue, andere Perspektive auf das Tierreich zu bieten, sodass sie vielleicht soziales Leben und Rechte der Tiere neu überdenken. Vermenschlichte Tiere anzuschauen, kann uns dazu anregen, sie menschenähnlich zu sehen. Indem ich Tiere in eine üblicherweise Menschen vorbehaltene Umgebung stelle, werfe ich die Frage auf, ob wir nicht mehr gemeinsam haben, als wir zugeben. Die Bankette sollen die Betrachtenden dazu ermutigen, über das Wesen der Gesellschaft und unsere Verantwortung gegenüber Tieren nachzudenken.

Schon als Kind faszinierten mich kleine und große, reale und erfundene Geschöpfe. Da waren die adrett gekleideten Waldtiere von Beatrix Potter, die aufregenden Begegnungen mit Vertretern des Tierreichs in Zoos und auf Farmen und die vielen Stunden, die ich vor den mit ausgestopften Tieren besiedelten Dioramen des New Yorker Museum of Natural History verbrachte. Damals wusste ich noch nicht, dass diese Tierparade ein Vokabular des überraschten Entzückens aufbauen würde, das später zur Sprache meiner künstlerischen Arbeit werden sollte.

Eine Künstlerresidenz erweckte meine kindliche Faszination für die Naturgeschichte zu neuem Leben, und ich fotografierte Hunderte von angestaubten Museumsexemplaren akribisch. Historische Zeichner:innen wie John James Audubon und Maria Sibylla Merian, der Assemblage-Künstler Joseph Cornell sowie der zeitgenössische Installationskünstler Mark Dion inspirierten mich. Mein Projekt führte zu einer kommerziellen Kooperation mit einer Lampendesignerin, die ethisch vertretbare taxidermische Objekte in Arbeiten integrierte, die wir dann wiederum in Inszenierungen mit lebenden Tieren fotografierten. Eines dieser Fotos zeigt Schweine, die sich an Donuts laben; über ihnen hängt ein großer, goldener Kronleuchter, der mich einige Jahre später zu meiner Serie *Fantastical Feasts* inspirierte. Ich merkte, wie viel Spaß es mir machte, mit lebenden Tieren zu arbeiten. Damals fotografierte ich viel für Firmen und die Werbeindustrie, und immer, wenn es nur irgend ging, fügte ich ein Tier in das Konzept ein.

Als ich mich für meine Serie *Birds of a Feather* dann endgültig auf Tiere konzentrierte, bedeutete das für mich einen Wendepunkt. Ich fotografierte lebende Papageien vor dem Hintergrund von an historischen Vorbildern inspirierten Tapeten. Der Gesichtsausdruck, das Gefieder und der Schnabel jedes einzelnen Vogels begeisterten mich ebenso wie der Umstand, dass ich vorher nie wusste, wie das Bild werden würde. Weil diese Serie überraschenderweise erfolgreich war, hängte ich das Fotografieren für die Werbe- und die Modebranche an den Haken.

Jedoch brachte mir die Serie nicht nur Anerkennung ein, sondern auch Kritik von Tierrechtler:innen. Und diese Kritik war für mich eine Offenbarung. So begann ich mich für die Probleme unserer gefiederten Hausgenossen zu interessieren. Papageien sind intelligente Tiere, die ohne ausreichende Anregung und Gesellschaft seelisch verkümmern. Viel zu viele

» Fotografie ist eine magische Kunst, die erwecken, überzeugen, inspirieren und verwirren kann. Sie kann verwundern und zornig machen. Und oft tut sie das alles zugleich. Fotografie bringt uns dazu, wirklich zu fühlen. «

von ihnen landen in Tierheimen, weil ihre Besitzer sich überfordert fühlen. Aufgrund dieser Erkenntnis veränderte sich für mich der Sinn meines Projekts. Nun sah ich die Tapeten als Symbol für die von Menschen geschaffenen Interieurs an, die diese Tiere nach ihrer Anschaffung durch die neuen Besitzer bewohnen müssen. Die Vögel sind schön und scheinen gut in die Wohnzimmer hineinzupassen, doch die haben keinerlei Ähnlichkeit mit ihrem natürlichen Lebensraum. Ich fing an, kleinere Summen aus dem Verkauf von Abdruckrechten an Tierschutzorganisationen zu spenden, aber mir wurde auch klar, dass meine Arbeit mehr sein konnte als nur dekorativ: Sie könnte helfen, Spenden zu sammeln, und Denkanstöße liefern. Ich zwang mich, mich selbst zu hinterfragen, wie ich mich in meinem Leben und meiner Arbeit Tieren gegenüber verhalte und zu welcher Art von Diskussion meine Arbeit anregen sollte. Und so schuf ich Weiterentwicklungen meines Projekts mit Eulen, Greifvögeln, Enten und Hühnern sowie Schlangen und Insekten.

* * *

Die Serie *Fantastical Feasts* zeigt lebende Tiere, die an kunstvoll arrangierten Festtafeln fressen. Ich stelle meine Tafeln überall auf der Welt auf und lade die unterschiedlichsten Tiere zum Essen ein, seien sie nun gestreift, gepunktet oder geschuppt. Die Arbeit an diesen Installationen ist lustig und nervenaufreibend zugleich. Der erste Schritt besteht darin, sich vorzustellen, wie die Tafel für ein Kobrabankett aussehen müsste oder was Wölfe mögen. Danach gehe ich auf lokalen Märkten einkaufen. Ich arrangiere alles so sorgfältig, wie ich nur kann, und überlasse die Kontrolle dann meinen Modellen. Mit angehaltenem Atem schaue ich zu, wie sie sich bei Tisch verhalten.

Die Magie dieser Aufnahmen resultiert aus ihrer Unvorhersehbarkeit. Manche sind ein totales Fiasko. Nachdem ich in Peru eine Tafel für Andenkondore gedeckt hatte, musste ich einen ganzen Tag lang warten, während sie reglos auf ihren Ansitzen verharrten und mich nur anstarrten, ohne das Bankett anzurühren, das ich eigens für sie angerichtet hatte.

Und ich muss bei meiner Arbeit natürlich auch aufpassen. Während der Aufnahmen für das Hyänenfest befand ich mich in einem Käfig und wurde von Tierpflegern bewacht, während sich die Hyänen begeistert auf das Futter und Teile der Tischdekoration stürzten. Wohlbefinden und Sicherheit der Tiere haben stets oberste Priorität, deshalb sind auch immer Tierpfleger dabei. Die Tiere selbst interessieren sich meist vor allem für das, was ihnen aufgetischt wird, und beachten mich und meine Kamera kaum oder gar nicht.

Mein Lieblingsbild aus der Serie *Fantastical Feasts* ist *The Sloth Bear Feast*, das Bankett für die Lippenbären. Sie lebten in einer Auffangstation von Wildlife SOS in Agra in Indien. Der Organisation war es gelungen, Menschen, die von der Zurschaustellung der Bären in der Tourismusindustrie gelebt hatten, zu Pflegern und Beschützern dieser Tiere umzuschulen. Vom Pflegepersonal erfuhr ich, was ihre Schützlinge am liebsten mochten, und so waren die Lippenbären ganz begeistert, als sie auf der für sie gedeckten Tafel Honig und Wassermelonen entdeckten.

The Cobra Feast, das Bankett für die Kobras, ist ein weiterer meiner Favoriten. Mit diesem Bild wollte ich Menschen dazu bringen, die Schönheit einer Tierart zu erkennen, vor der sie sich normalerweise fürchten. Schlangen werden in aller Welt verfolgt. Zwar sind manche Arten, wie diese Königskobras, sehr gefährlich, wenn sie sich bedroht fühlen, doch sind Schlangen auch unglaublich schön und für ihre Ökosysteme wichtig.

Spotted Eagle Owl No. 7261 (»Fleckenuhu Nr. 7261«) aus der Serie *Birds of Prey*, Stellenbosch, Südafrika, 2016

The Sloth Bear Feast (»Das Lippenbär-Festmahl«),
Wildlife SOS Bear Rescue, Agra, Indien 2018

203

Es macht mir großen Spaß zu beobachten, wie das Publikum auf meine Bilder reagiert. Die Kobras lösen unweigerlich eine instinktive Reaktion aus: Die Leute gehen immer entweder ganz nah an die Aufnahme heran oder weichen davor zurück. Auch ich habe vor diesen Geschöpfen Angst, doch bin ich gleichzeitig von ihnen fasziniert, auch weil sich so viele Sagen und Bräuche um sie ranken.

Ich weiß, dass sich meine Arbeit von der vieler zeitgenössischer Wildtierfotograf:innen deutlich unterscheidet. Dennoch hoffe ich, zu einer Veränderung der Einstellung gegenüber Tieren beitragen zu können. Durch meine Arbeit habe ich gelernt, wie tief und vielschichtig unsere Beziehungen zu nicht-menschlichen Lebewesen sind, und dass wir für die unterschiedlichsten Kreaturen Empathie empfinden können. Die moderne Gesellschaft erschwert es uns sehr, die Fürsorge für Tiere in unseren Alltag zu integrieren, und macht es uns beinahe unmöglich zu vermeiden, Tieren Leid zuzufügen. Die Kette von Ereignissen, die mit unseren Kaufentscheidungen verbunden ist, bleibt uns oft verborgen und enthüllt nicht die wahren Konsequenzen.

Ich hoffe, dass wir alle uns bemühen, unser Handeln und dessen Auswirkungen stärker zu hinterfragen. Ich glaube, dass nur die Kraft unserer kollektiven Sehnsucht danach, grundlegend anders mit Tieren, Tierversuchen, unseren Nahrungssystemen und der Landnutzung umzugehen, den dringend nötigen Wandel herbeiführen kann.

Manchmal fällt es schwer, Fotos anzuschauen, die unser Bewusstsein wecken, und man möchte nicht ständig an all diese furchtbaren Dinge denken. Ich hoffe, dass sich mein Projekt *Fantastical Feasts* mit all seiner Verspieltheit und Buntheit in den Köpfen festsetzt und die Gedanken kreisen lässt. Seine Botschaft ist nicht anzuklagen, sondern Sympathie zu wecken und Vorstellungskraft und Engagement der Betrachtenden anzuregen.

Wie können wir zu einer befriedigenden Lösung all der Probleme gelangen, denen wir heute gegenüberstehen? Ich hoffe, dass meine Fotos zu Diskussionsbeiträgen werden, und ich glaube fest daran, dass sich alles verbessern ließe – die kleinen Entscheidungen, die wir Tag für Tag treffen ebenso wie unsere Vorstellungen, wie wir in dieser verworrenen Welt bewusster leben können.

Flamingos No. 0365, aus der Serie *Birds of a Feather*, Miami, Florida, 2017

Fragmente

Evgenia Arbugaeva, Walross vor der Hütte, Tschukotka, Russland, aus der Serie *Hyperborea*, 2018

Morgan Heim, Schwarzwedelhirsch, Oregon, aus der Serie *A Last Leap Towards Flowers*, 2017

Maroesjka Lavigne, *White Rhino*, Namibia, 2015

Männer posieren an einem Berg von Bisonschädeln bei einer Leimfabrik, Rougeville, Michigan, 1892

Arthur Rothstein, Schafe warten auf ihre Verladung, Belfield, North Dakota, 1936

Mitsuaki Iwago, Streifengnus und Steppenzebras
auf einem Wanderzug, Serengeti, 1987

Andreas Gursky, *Greeley*, Rinderkoppeln in Nordost-Colorado, 2002

George Shiras, Weißwedelhirsche in einer »Blitzfalle«, Michigan, 1893

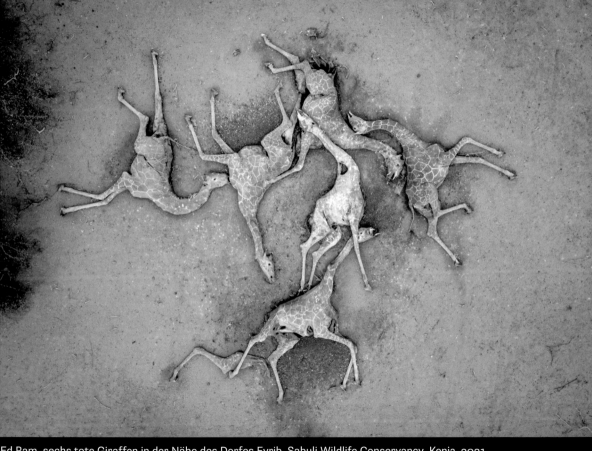

Ed Ram, sechs tote Giraffen in der Nähe des Dorfes Eyrib, Sabuli Wildlife Conservancy, Kenia, 2021

Frederick William Bond, Fundstücke aus dem Magen eines Straußes,
Londoner Zoo, 1927

Chris Jordan, Laysanalbatros, der an verschlucktem Plastik gestorben ist, Midway Atoll, 2009

Daniel Beltrá, mit einem Rohölfilm überzogene Braunpelikane, 2010

Brian Skerry, Großaugen-Fuchshai, der sich in einem Stellnetz vor der Küste von
Baja California verfangen hat, 2010

Margaret Bourke-White, eingepackter ausgetopfter Panda, New York, fotografiert für die Zeitschrift *LIFE*, 1937

Marcin Ryczek

MARCIN RYCZEK *ist ein polnischer Künstler, dessen Fotografien oft Symbole und Geometrie zum Thema haben. Schlichtheit, Minimalismus und Bezüge zur grafischen Kunst charakterisieren seine Arbeiten.*

Haben Sie ein Lieblingsfoto, das Sie selbst aufgenommen haben? Mir sind all meine Tierfotos wichtig, denn jedes hat eine eng mit seiner Entstehung verbundene Geschichte. Eines davon ist beispielsweise *Ein Mann füttert im Schnee Schwäne*, das zu den am leichtesten mir zuzuordnenden Bildern gehört. Es ist ein sehr persönliches und realistisches Foto. Ich nahm es auf, als ich mich nach einer schwierigen Phase in meinem Leben wieder ruhig und ausgeglichen fühlte. Ich glaube, dass Erfahrungen, die uns zunächst negativ vorkommen, zu etwas Gutem führen können. Ich wollte dieses Gefühl durch ein Foto zum Ausdruck bringen.

Und warum fotografieren Sie Tiere? Die Antwort auf diese Frage ist: Harmonie. In meinen Arbeiten beziehe ich mich deshalb oft auf die Natur, weil wir ein Teil von ihr sind. Ihr nahe zu sein und sich um sie zu kümmern, ist für viele von uns unerlässlich, damit wir uns ausgeglichen fühlen. Das Fotografieren und das Beobachten von Tieren betrachte ich als eine Art Meditation.

Wissen Sie, ob eines Ihrer Fotos positive Auswirkungen hatte? Ich erhielt schon unglaublich viele schöne Zuschriften von Menschen aus aller Welt, die sich von meinem Foto der Schwäne im Schnee angesprochen fühlten. Jeder Mensch interpretiert es auf seine Weise. Eine Dame dankte mir für das Bild, weil ihr an Schizophrenie leidender Mann in schwierigen Momenten auf seinem Computer meine Fotos abruft und sich durch sie entspannter fühlt. Andere Leute schrieben mir, dass das Foto ihnen half, Krisen und Probleme besser zu bewältigen, oder sie daran erinnerte, dass es im Leben nicht nur Dunkles, sondern eben auch Helles, Heiteres gibt. Eine andere Nachricht erhielt ich von einer jungen Frau aus Spanien. Sie schrieb mir, dass sie schon seit Langem mit Zahnproblemen zu kämpfen hatte und trotz der Schmerzen große Angst hatte, zum Zahnarzt zu gehen. Aber als sie eines Tages mein Foto sah, beeinflusste es sie so stark, dass sie den Mut fasste, einen Termin zu vereinbaren. Und endlich wurde sie von ihren Schmerzen befreit! Wie ich schon sagte, aus der Betrachtung eines einzigen Bildes können ganz überraschende Geschichten hervorgehen.

Oft heißt es, die Fotografie könne die Welt verändern. Würden Sie das bestätigen? Ja, ich glaube daran, dass sich Fotos signifikant auf unser Leben und unsere Welt auswirken. Wie könnte ich auch anderer Meinung sein, wenn mir Leute schreiben, wie eines meiner Fotos auf irgendeine Weise ihr Leben verändert hat. Ja, es stimmt, berühmte Fotografien regen auf jeden Fall zum Nachdenken an und führen zu Veränderungen der Lebensweise und zum Hinterfragen von Ungerechtigkeiten oder erwecken ein Gefühl der Verantwortung für unseren Planeten. Auf der anderen Seite dienen Fotos aber auch dazu, die Wahrheit zu verfälschen und zu manipulieren. Manchmal werden selbst zu guten Zwecken Fotos mit unrichtigen Angaben zu ihrem Kontext präsentiert. Im Internet wird nichts überprüft, und die Leute versenden die Bilder einfach in den sozialen Netzwerken weiter. Meiner Ansicht nach sollten Fotografien, und besonders journalistische Fotografien, wahrheitsgetreu sein. Gerade diese Wahrheit in der Welt der Fotografie kann Veränderungen und Verbesserungen herbeiführen.

Möchten Sie unseren Leser:innen noch etwas sagen? Ich erinnere mich an eine Szene in einem polnischen Film, in der ein Solist eines Chors nach dem Konzert von einem Journalisten gefragt wurde: »Warum singen Sie?« Der Solist antwortete: »Weil ich mich dabei als besserer Mensch fühle.« Ich denke, das kann man auch auf die Fotografie beziehen. Fotos sensibilisieren. Wenn ich mit der Kamera losziehe, öffne ich mich all der Schönheit, die mich umgibt. Das Kommunizieren mit der Natur, mit Tieren und mit Menschen macht mich in diesem Augenblick zu einem besseren Menschen.

(Oben) A man feeding swans in the snow
(»Ein Mann füttert im Schnee Schwäne«), 2013

(Folgende Doppelseite) Liberation (»Befreiung«), 2014

Nichole Sobecki

NICHOLE SOBECKI *ist Fotografin und Filmemacherin, sie lebt in Nairobi. Für ihre Arbeiten erhielt sie bereits den Leica Oskar Barnack Award, den ASME Award und den Robert F. Kennedy Human Rights Award. Außerdem wurde sie bei dem Wettbewerb Pictures of the Year ausgezeichnet. Ihre Fotografien werden international ausgestellt.*

Erinnern Sie sich, welches das erste Tier war, das Sie fotografiert haben? Ich ritt und trainierte Pferde und arbeitete überdies in einem Stall in der Nähe meines Hauses. Deshalb sind auf all meinen ersten Fotos von Tieren Pferde zu sehen.

Welche Naturfotograf:innen bewundern Sie am meisten? Am stärksten bewegen mich Bilder, die mich die Natur auf eine unerwartete neue Art sehen lassen. Dazu zählen beispielsweise Xavi Bous Vogelflugbahnen, die träumerische Stimmung von Evgenia Arbugaevas Fotos, auf denen viele Tiere zu sehen sind, auch wenn sie nicht direkt im Mittelpunkt stehen, Maggie Stebers *Dead Lizards Army*, Claire Rosens einfallsreiche Serie *Fantastical Feasts* oder Anand Varmas Arbeiten zu Kolibris.

Haben Sie ein Lieblingsfoto, das Sie selbst aufgenommen haben? Ein auffliegender Habicht in der alten somalischen Hafenstadt Maydh. Als ich die Stadt besuchte, war sie schon beinahe verlassen, und falls wir die schlimmsten Auswirkungen der Klimakrise nicht in den Griff bekommen, steht dieses Foto für ihre Zukunft. Und auch das Foto eines sieben Monate alten Geparden namens Astur, der in einem Landrover sitzt und die ausgestreckte Hand seines Retters anfaucht.

Gibt es ein historisches Foto, das Sie bewundern? Das ist Eadweard Muybridges galoppierendes Pferd. 1872 beauftragte ein Rennpferdbesitzer Muybridge, wegen einer Wette herauszufinden, ob es eine Galoppphase gibt, in der alle vier Pferdehufe in der Luft sind. Muybridges Aufnahmen bewiesen, dass dem so war.

Mich erinnert diese Aufnahme immer daran, dass die Kamera unsere Weltsicht verändern und uns helfen kann, über den Tellerrand zu blicken – auch in kultureller oder ideologischer Hinsicht.

Wissen Sie, ob eines Ihrer Fotos positive Auswirkungen hatte? 2019 besuchten die Schriftstellerin Rachel Fobar und ich die Pienika Farm in Lichtenburg, Südafrika. Diese Farm züchtet Löwen und bietet Sportjagden an. Kurz vor uns war der nationale Tierschutzverein NSPCA vor Ort, und ihr Inspektor beschrieb das Erlebnis als »seelenzerstörend«. Nach einer langen engagierten Kampagne verkündete die Regierung Südafrikas 2021, das Züchten von Löwen für Jagdzwecke verbieten zu wollen. Sehr viele Einzelpersonen und Organisationen hatten zu diesem Entschluss beigetragen, und ich war sehr glücklich darüber, eine von ihnen gewesen zu sein. Die Wirkung eines Fotos ist nicht messbar, aber in diesem Fall hatte es spürbare Konsequenzen.

Sind Tierfotos wichtig? Sie können unsere Beziehung zur Natur stärken und den falschen Stolz schwächen, der uns meiner Meinung nach überhaupt erst in die Lage versetzt, Tieren, der Natur und einander üblen Schaden zuzufügen.

Möchten Sie unseren Leser:innen noch etwas sagen? Was mir derzeit Mut macht, ist, dass immer mehr in Kunst und Kultur aktive Menschen versuchen, die Vorstellung infrage zu stellen, dass der Mensch die Welt beherrschen darf. Wir benötigen dringend neue Formen des Wissens und sollten uns auch auf die alten überlieferten Vorstellungen besinnen. Wir lernen wieder, die nicht-menschliche Welt als etwas anzusehen, das mehr ist als nur eine Quelle von Ressourcen, nämlich etwas Lebendiges, Fühlendes, vielleicht sogar Heiliges. Die Kunst hilft, auf eine Gesellschaft hin zu arbeiten, in der diese Gedanken größeren Anklang finden.

In der alten Hafenstadt Maydh fliegt ein Habicht auf, Somaliland, 2016

Ein sieben Monate alter Gepard auf der Rückbank eines
SUVs faucht die ausgestreckte Hand seines Retters an,
westliches Somaliland, 2020

Fünf gerettete Gepardenwelpen werden in einem Zelt
warm gehalten, Hargeysa, Somaliland, 2020

Lobikito Leparselu kümmert sich um die Ziegen seiner Familie, nördliches Kenia, 2020

Marsel van Oosten

MARSEL VAN OOSTEN *ist ein auf Natur und Wildtiere spezialisierter niederländischer Fotograf, der schon mehrfach als Wildlife Photographer of the Year und Travel Photographer ausgezeichnet wurde.*

Haben Sie ein Lieblingsfoto, das Sie selbst aufgenommen haben? Ich liebe das Bild eines Elefanten, der oberhalb der Viktoriafälle in Sambia steht. Es ist nicht nur das weltweit einzige Foto eines Elefanten bei diesen Wasserfällen, sondern enthält auch alle Elemente, die für meinen Stil stehen.

Gibt es ein Foto oder aber ein Gesamtwerk, das Sie besonders neugierig gemacht hat? Als ich das erste Mal Bilder der in heißen Quellen badenden japanischen Makaken sah, war ich total fasziniert. Ihr Verhalten ist so menschenähnlich.

Welches ist das einflussreichste Tierfoto aller Zeiten? Anstatt hier nur ein Bild zu nennen, würde ich gern an all jene Fotos erinnern, die die Brutalität von Wilderern und den illegalen Wildtierhandel anprangern. Dazu fällt mir eine der vielen großartigen Aufnahmen von Brent Stirton ein, die ein totes Nashorn mit abgesägtem Horn zeigt. Es ist ein sehr grafisches und direktes Bild, doch die Art und Weise, wie es mit Blitzlicht aufgenommen wurde, lässt es darüber hinaus ästhetisch wirken, ein wenig surreal und auf jeden Fall verstörend. Ich schaue solche Bilder nicht gern an, aber sie sind wichtig, um der Öffentlichkeit die Bedrohung wild lebender Arten deutlich vor Augen zu führen.

Und warum fotografieren Sie Tiere? Weil ich Tiere so mag. Ich liebe die Natur und bin unheimlich gern draußen. Tiere sind faszinierend und schön, und es gibt eine so unglaublich große Artenvielfalt. Das Frustrierendste an der Wildtierfotografie ist, dass man überhaupt keine Kontrolle über seine Modelle hat, aber das macht sie gleichzeitig so interessant. Man kann nie voraussehen, wann die Tiere sich zeigen, und wenn sie da sind, weiß man nicht, was als Nächstes passiert. Ich finde das sehr aufregend. Jeder Tag im

Busch verläuft anders, in der Natur ist das eben so, und das bedeutet für mich Leben in reinster Form. Die Welt der Menschen ist das genaue Gegenteil, denn sie wird von Intrigen und Schein beherrscht. Menschen beschäftigen sich immer nur mit Nebensächlichem – mit der neuesten Mode, dem aktuellsten Skandal. In der Natur geht es dagegen um die Essenz. Ich neige dazu, ein Misanthrop zu sein.

Hat ein Tierfoto Sie jemals dazu veranlasst, Ihr Leben zu hinterfragen? Auf einem Foto bin ich zu sehen, wie ich um mein Leben renne, weil mich ein Tiger verfolgt. Dieses Bild erinnert mich immer daran, dass wir keine Zeit mit Dingen verschwenden sollten, die uns nicht glücklich machen. Das Leben kann in einem Wimpernschlag vorbei sein. Oder so schnell, wie eine Raubkatze zuschlägt.

Oft heißt es, die Fotografie könne die Welt verändern. Würden Sie das bestätigen? Fotos können informieren, unterhalten, beeinflussen, Angst einjagen, erstaunen, anwidern und täuschen. Sie sind ein extrem wirkungsvolles Medium. Als ich noch in der Werbebranche arbeitete, setzte ich Bilder ein, um Menschen zu verführen. Fotos können für gute und für schlechte Zwecke verwendet werden. Als Wildtierfotograf nutze ich meine Bilder, um Menschen zu beeindrucken und zu inspirieren. Wenn ich ihnen die unglaubliche Biodiversität unseres Planeten vor Augen führe und die Schönheit all der Lebensräume, so gelingt es mir hoffentlich, die Menschen wieder mit der Natur in Verbindung zu bringen und ihnen klar zu machen, dass wir viel verlieren, wenn wir die Natur nicht schützen. Ich weiß, dass viele Fotografen derselben Ansicht sind.

Sind Tierfotos wichtig? Das hängt von den Zielsetzungen der jeweiligen Fotograf:innen ab. Ich bin in erster Linie Künstler und dann erst Artenschützer. Meine oberste Priorität ist es, etwas Schönes zu kreieren, meine persönliche Interpretation der Natur. Das Ergebnis meines Schaffens nutze ich, um Menschen zu inspirieren und zu informieren. Ich halte das für wichtig.

Afrikanischer Elefant am Rand der Viktoriafälle, Sambia, 2007

(Oben) Goldstumpfnasen, Qin-Ling-Gebirgszug, China, 2016

(Folgende Doppelseite) Oryxantilopen laufen durch die Dünen,
Namib-Naukluft-Nationalpark, Namibia, 2009

Staffan Widstrand

Staffan Widstrand *ist ein mehrfach ausgezeichneter schwedischer Naturfotograf. Seine bislang 18 Bücher wurden in neun Sprachen übersetzt. Sein Ziel ist es, die Schönheit der Natur sichtbar zu machen und zu mehr Engagement für den Naturschutz aufzurufen. Das* Outdoor Photography Magazine *bezeichnete ihn als einen der einflussreichsten Naturfotografen der Welt.*

Erinnern Sie sich, welches das erste Tier war, das Sie fotografiert haben? Das waren nistende Webervögel in Uganda, als ich im Alter von sieben Jahren mit der Kamera meines Vaters fotografierte. Das zweite Foto, an das ich mich lebhaft erinnern kann, machte ich mit zwölf Jahren mit meiner eigenen Kamera, einer Kodak Instamatic, und zwar von einer Elefantenfamilie auf einem Familienurlaub in Kenia. Elefanten! Außerdem gelang es mir, einen Leoparden in einem Kandelaber-Wolfsmilch-Strauch zu fotografieren. Rückblickend waren diese frühen Erfahrungen sehr wichtig für mich.

Beschreiben Sie ein selbst aufgenommenes Tierfoto, das Sie nie vergessen werden. Zum einen ist das eine Pallaskatze, zum anderen ein Braunbär. Diese beiden Aufnahmen sind unvergesslich wegen des kurzen Abstands und des Augenkontakts. Wäre die Pallaskatze ein Tiger oder Löwe gewesen, wäre das eine sehr gruslige Begegnung geworden, denn sie fixiert mich wie ein Raubtier seine Beute. Bei dem Bären ist es dagegen ganz anders, er schenkt mir einen freundlichen Blick, als wolle er sagen: »Bitte tu mir nichts, dann verspreche ich dir, dass ich dir auch nichts tue.« Zwischen uns waren weniger als zwei Meter, mein einziger Schutz war eine Zeltplane, er hätte einfach ins Zelt hereinspazieren können. Doch das tat er nicht. Eine entspannte Win-Win-Situation für uns beide.

Gibt es ein historisches Foto, das sie sehr bewundern? Es sind mehrere: ein an einer Liane schwingender Orang-Utan von Frans Lanting; damals war das eine innovative Aufnahme, mit Bewegungsunschärfe, Schärfe und Aufhellblitz. Der Mann mit einem Moa-Ei in der Hand, ebenfalls von Frans Lanting. Der Puma vor den Hollywood-Buchstaben von Steve Winter und Kasuarbilder von Christian Ziegler.

Welches ist das einflussreichste Tierfoto aller Zeiten? Vielleicht Jim Brandenburgs weißer Wolf, der bei Ellesmere Island von einem Eisfloß zum anderen springt. Sturmvögel vor einem blau schimmernden Eisberg von Cherry Alexander. Mehrere Wildtierhandel-Bilder von Britta Jaschinski. Und der von Brent Stirton fotografierte, von Wilderern getötete Berggorilla, der aus dem Wald getragen wird. Er sieht wie gekreuzigt aus. Es ist ein sehr bewegendes und ikonisches Bild.

Was hoffen Sie zu erreichen? Ich will Menschen dazu bringen, sich in die Natur zu verlieben. In die ganze Natur, in all ihre Aspekte. Was man liebt, das schützt man auch. Deswegen ist es wichtig, dass viel mehr Menschen lernen, die Natur zu lieben.

Wissen Sie, ob eines Ihrer Fotos positive Auswirkungen hatte? Ich war an einem großen, über mehrere Jahre geführten Projekt beteiligt, das aus diversen Teilbereichen bestand: *The Big Five, Wild Wonders of Europe, Wild Wonders of China, Rewilding Europe.* Aus diesem Projekt sind Reportagen, Bildbände, Zeitschriftenartikel, Kinderbücher, Posts in sozialen Netzwerken, Ausstellungen und TV-Sendungen hervorgegangen. Auf diese Weise erreichten wir viele Millionen Zuschauer. *Wild Wonders of Europe* ist schätzungsweise mindestens 800 Millionen Menschen bekannt.

Oft heißt es, die Fotografie könne die Welt verändern. Würden Sie das bestätigen? Ja, das stimmt in der Tat. Fotografien können inspirieren und für neue Ideen empfänglich machen. Für Filme gilt dasselbe. Bilder helfen, die Wahrnehmung zu verändern. Bilder regen Empathie an. Ja, Bilder können helfen, eine Art zu retten.

Sind Tierfotos wichtig? Sie erleichtern einem breiten Publikum den Zugang zur Schönheit und zur Seele der Natur – und zu all ihren fantastischen Wildtieren.

Pallaskatze, Qinghai, China, 2016

Ruderfrosch *Rhacophorus gongshanensis*, Yunnan, China, 2012

Bartrobbe, Spitzbergen, 2014

Kleiner Panda, Laba-He-Nationalpark, Szechuan, China, 2016

Alicia Rius

ALICIA RIUS *fotografiert Tierporträts und Lifestyle-Themen. Ob in der Natur oder im Studio schafft sie aussagekräftige und genial komponierte Porträts, die die Betrachtenden ansprechen und den Geist und die Persönlichkeit ihrer Motive offenbaren. Für ihre Tierfotos wurde Alicia mit einem IPA Award ausgezeichnet.*

Erinnern Sie sich, welches das erste Tier war, das Sie fotografiert haben? Das war meine Perserkatze Justina. Meine ersten Fotos schoss ich mit einer analogen Kamera. Justina war soeben frisiert worden, und aus irgendeinem Grund fand die Friseurin es lustig, sie als Löwen zu stylen. Meine Mom war stinksauer und Justina vermutlich ein bisschen traumatisiert. Ich dagegen fand es witzig, und so dachte ich mir eine kleine Fotogeschichte aus, in der Justina ein Löwe war, der mich angriff. Ich ließ die Fotos entwickeln und klebte sie in ein Album, das ich mit in die Schule nahm. Den anderen Kindern gefiel meine Fotostory sehr.

Gibt es ein historisches Foto, das Sie sehr bewundern? Ich liebe die Arbeiten von John Drysdale. Seine Sammlung *Our Peaceable Kingdom* ist voller herrlicher Bilder von exotischen Haustieren. Mein Lieblingsbild ist *Descending a Staircase*. Ich mag es, weil es mich nachdenklich stimmt. Aus technischer Sicht ist es perfekt, ethisch gesehen aber problematisch. Ein Alligator ist kein Haustier, und schon gar nicht darf man ein Kleinkind damit spielen lassen. Aber das Bild stammt aus dem Jahr 1976!

Gibt es ein Foto oder aber ein Gesamtwerk, das Sie zum Handeln angeregt hat? Ja: das Foto einer Katze mit Geburtstagshütchen und Sonnenbrille. Oder eigentlich jede Aufnahme, auf dem ein Haustier mit Menschenaccessoires ausgestattet und damit lächerlich gemacht wird. Als ich 2013 nach San Francisco zog und beschloss, Haustierfotografin zu werden, begann ich mit einer Recherche. Ich schaute mir all die kitschigen Postkarten an und fand, dass ich das anders machen konnte und auch musste. Ich setzte

es mir zum Ziel, die natürliche Schönheit eines Tiers hervorzuheben, und zwar ganz ohne Requisiten.

Und warum fotografieren Sie Tiere? Die Frage sollte eigentlich lauten: »Warum nicht?« Wenn wir unser Leben lang unsere Kinder, unsere Hochzeiten, unsere Reisen und Partys dokumentieren, warum sollten wir dann nicht Augenblicke aus dem Leben der Tiere festhalten, die uns begleiten? Sie sind die loyalsten und nachsichtigsten Kreaturen der Welt. Wir lieben sie wie Kinder, sie verschönern unseren Alltag und fördern unsere guten Seiten. Oft werde ich engagiert, wenn ein Haustier schon sehr alt ist und nur noch wenige Monate zu leben hat. Den Besitzern wird klar, dass sie nur iPhone-Fotos von ihm haben und keine professionellen Bilder. Erst wenn sie wissen, dass sie sich bald von ihrem Tier verabschieden müssen, wird ihnen klar, was sie vermissen werden.

Was hoffen Sie zu erreichen? Ich will, dass die Leute Tiere nicht mehr »nur als Haustiere« oder »nur als Tiere« ansehen. Diese vereinfachende Sicht ignoriert die wichtige Rolle, die diese Geschöpfe in unserem Leben und in ihren Ökosystemen spielen. Durch die Fotografie hoffe ich, ein anderes Licht auf sie zu werfen, damit sie geschätzt und respektiert werden.

Oft heißt es, die Fotografie könne die Welt verändern. Würden Sie das bestätigen? Nur wir Menschen können die Welt verändern, aber die Fotografie kann helfen, jenes Wissen zu verbreiten, das uns dazu veranlasst, die Verantwortung für unser Handeln zu übernehmen.

Sind Tierfotos wichtig? Fotos sind ganz allgemein ein Vermächtnis. Eine Erinnerung an die Zeiten, in denen wir leben. Sie halten unsere Geschichte fest und erzählen Geschichten – von unglaublichen Ereignissen, von Menschen, Orten und Tieren. Sie zeigen Tiere, die mittlerweile ausgestorben sind, und sie verewigen jene, die wir kennen und lieben, die aber eines Tages nicht mehr dasein werden. Fotos sind unsere Zeitmaschine, sie bilden uns weiter und helfen uns, zu verstehen. Und deshalb besitzen sie eine so große Macht.

Jedi, eine haarlose Sphinx-Katze, San Francisco, 2013

Bear, eine Englische Bulldogge, Los Angeles, 2018

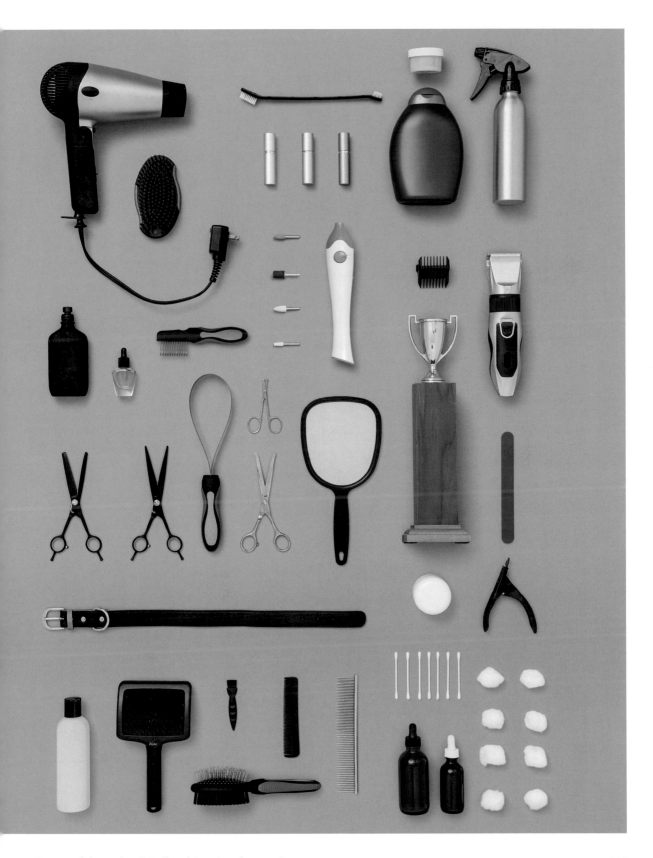

Zig, ein Afghanischer Windhund, Los Angeles, 2018

Levon Biss

Schätze der Natur

Levon Biss *ist ein mehrfach ausgezeichneter britischer Fotograf. Seine Begeisterung für die Natur und die Fotografie flossen in sein preisgekröntes Projekt* Microsculpture *ein, eine einzigartige Studie von stark vergrößerten Insektenaufnahmen, die in der Makrofotografie neue Maßstäbe setzte.*

ICH FOTOGRAFIERE DIE übersehene Schönheit der Natur. Das ist die einfachste Beschreibung dessen, was mich antreibt. Bis jetzt betraf das Insekten, Früchte und Samen. Natürlich haben Fotograf:innen bei ihrer Arbeit die unterschiedlichsten Intentionen, und manche davon bleiben unausgesprochen oder unbewusst, und man merkt erst Jahre später, worum es einem eigentlich ging. Doch bei mir ist das anders, mein »Warum« erklärt sich ganz einfach: Ich fotografiere, um Liebe zu allen Formen des Lebens zu erwecken, insbesondere zu Insekten. Mein Mantra lautet: Mache das Unsichtbare sichtbar.

Fotos müssen nicht düster oder unangenehm wirken, um bedeutsam zu sein. Sie können eine technische Herausforderung darstellen, und genau das motiviert mich enorm. Ich experimentiere gern und möchte Dinge auf eine noch nie dagewesene Weise fotografieren. Mitunter macht mich das geradezu süchtig. Gerade arbeite ich mit Bienen. Natürlich sind sie wunderschön, aber auch sehr schwierige Sujets für die Makrofotografie. All die kleinen Härchen!

Außerdem beschäftige ich mich gleichzeitig noch mit einem weiteren Projekt: mit in Bernstein gefangenen Insekten. Mithilfe eines lettischen Fachhändlers stelle ich mir gerade eine eigene Sammlung zusammen. Im Atelier schleifen wir die Oberfläche der Bernsteinstücke ab, was sehr langwierig ist, und polieren sie so lange, bis die feinen Kratzer beseitigt

sind und ich fotografieren kann. Um die Kontrolle über das einfallende Licht zu behalten, muss ich den Bernstein in einer Flüssigkeit mit ähnlichem Brechungsindex fotografieren. Eines meiner Stücke enthält eine eingeschlossene Ameise – sein Alter wird auf 45 Millionen Jahre geschätzt. Das ist einfach unglaublich!

* * *

Mein Sohn gab den Anstoß zu dieser Idee, die mich bekannt gemacht hat. Damals war ich ziemlich erschöpft, ich arbeitete auf Hochtouren und fotografierte hauptsächlich Kommerzielles, Sportveranstaltungen und Porträts. Eines Tages kam Sebastian – er war damals sechs Jahre alt – mit einem schwarzen Grabkäfer aus dem Garten ins Haus. Gemeinsam betrachteten wir das Insekt unter dem Mikroskop, und ich war von seiner Schönheit entzückt. Ich beschloss, es für meinen Sohn zu fotografieren, damit er auf seine Entdeckung stolz sein konnte. Der Kameraaufbau war eine Herausforderung. Weil ich den Käfer in seiner ganzen Schönheit zeigen wollte, fühlte es sich ein bisschen so an, als würde ich das Porträtfoto eines Promis machen, aber es war viel weniger stressig!

Sobald ich das Fotografieren der Käfer aus unserem Garten im Griff hatte, schrieb ich das Museum für Naturgeschichte der Universität Oxford an. Sie gestatteten mir den Zugang zu ihren Sammlungen, und das war der eigentliche Anfang des Projekts *Microsculpture*. Durch das Mikroskop betrachtete ich Insekten, von denen ich zuvor noch nie gehört hatte: eine Orchideenbiene, einen Mistkäfer, eine Buckelzikade.

Die Aufnahmetechnik ist immer noch sehr aufwendig, aber im Lauf der Jahre konnte ich sie perfektionieren. Das Ausleuchten folgt in etwa denselben Prinzipien wie beim Fotografieren von Menschen. Nur der Maßstab ist wesentlich kleiner: Man bricht alles

Dreifarbiger Prachtkäfer *Belionota sumptuosa*, Museum of Natural History der Oxford University, 2014

> »Die Fotografie ist ein ausgezeichnetes Kommunikationsmittel – wenn sie gut eingesetzt wird. Sie kann das präziseste, das erschütterndste und das erbaulichste Medium sein. Sie ist die unmittelbarste Form der Kommunikation, die uns zur Verfügung steht.«

herunter, behandelt jeden Abschnitt wie ein Stillleben, vergisst einfach den Rest und tut alles, damit der eine Bereich des Insekts so schön wie möglich aussieht. Sodann geht man zum nächsten Bereich über, der ein Fühler oder das Ende eines Beins sein kann. Sämtliche charakteristischen Eigenschaften verändern sich, man stellt die Beleuchtung neu ein und fängt wieder von vorn an. Es ist wie ein Puzzle, bei dem man nur hoffen kann, dass man am Ende sämtliche Teile beieinander hat.

Bei dieser Art von Fotomikroskopie ist die Tiefenschärfe so gering, dass die Fokusebene winzig ist. Damit jeder einzelne Bereich des Insekts scharf aufgenommen werden kann, muss man es insgesamt ungefähr 600-mal fotografieren, jeweils mit Abständen von sieben Tausendstel Millimeter. Das entspricht in etwa einem Zehntel der Breite eines menschlichen Haars. Diese 600 Fotos werden digital zusammengesetzt, weisen aber immer geringfügige Unterschiede hinsichtlich Farbe und Perspektive auf. Ein wirklich sehr kompliziertes Puzzle! Das fertige Insektenporträt ist das Ergebnis von rund 10 000 Einzelfotos, die im Lauf von vier anstrengenden Wochen aufgenommen wurden. Eine harte Arbeit, doch das Ergebnis zeigt ganz eindeutig: Sie lohnt sich!

Einmal hielt ich bei der Jahreskonferenz eines Mikroskopherstellers einen Vortrag. Das Publikum bestand aus Wissenschaftler:innen und Expert:innen. Sie mochten die Fotos, doch als ich ihnen das Gestell zeigte, das ich dafür benutzte, erntete ich einige Lacher. Es bestand aus Kabelbindern und Holzleisten. Anfangs hatte ich sogar Flipflops eingebaut, die die Vibrationen abfangen sollten! Die netten Leute von der Firma schickten mich nach Deutschland, wo ich mir ein sehr teures Mikroskop aussuchte. Ein Ingenieur kam dann zu mir und half mir, es in meinem Atelier aufzubauen. Leider musste ich es dann doch zurückschicken, weil die Ergebnisse meiner Arbeit mit diesem Gerät weniger zufriedenstellend waren als die mit meinem selbst gebastelten Gestell.

Viele der Insekten, die ich fotografiere, sind kaum einen Zentimeter lang, und die feineren Details ihrer Oberflächen wären mit dem bloßen Auge niemals erkennbar. Aber genau das will ich enthüllen: verborgene Schönheit und Dinge, die wir normalerweise gar nicht sehen können. Der entomologische Begriff für diese Textur ist »Mikroskulptur«, daher hat mein Projekt seinen Namen. Ich will das Tier aber auch in seiner Gesamtheit fotografieren. Ich will, dass Menschen dieses Tier sehen können und sich bemühen, mehr über es zu erfahren. Manche Leute sagen, auf meinen Fotos sähen die Insekten wie Schmuckstücke aus. Das finde ich interessant, denn die leuchtenden Farben, die wir an vielen Insekten sehen, entstehen nicht durch Pigmente, sondern durch die Brechung des Lichts auf ihren zart texturierten Oberflächen. Ein Käfer aus der Museumssammlung, ein Prachtkäfer der Art *Belionota sumptuosa*, war von Alfred Russel Wallace gefunden worden, einem Zeitgenossen Darwins. Der Käfer ist bereits 160 Jahre alt und immer noch von strahlender Farbpracht.

Ein besonderes Erlebnis für mich war, dass mir ein Käfer anvertraut wurde, den Charles Darwin selbst in Australien entdeckt und auf der HMS *Beagle* mit zurück nach Großbritannien gebracht hatte. Mit einem Stück zu arbeiten, das von solch einer wichtigen Persönlichkeit gefunden und geschätzt worden war, beeindruckte mich immens und machte ein ohnehin interessantes Tier noch interessanter. Genau darum geht es mir im Kern: Fotos zu machen, die auf künstlerische Weise den Zugang zu den Geschichten von Tieren ermöglichen.

Mistkäfer *Helictopleurus splendidicollis*, Museum of Natural History der Oxford University, 2015

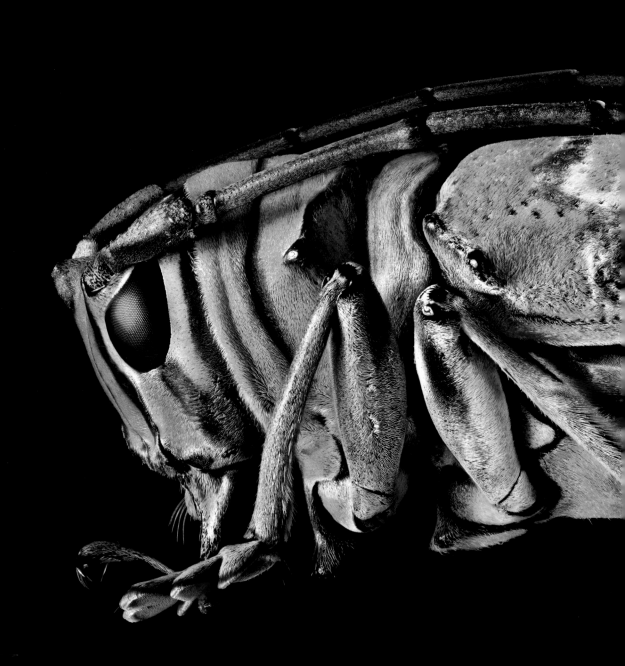

Oft heißt es, die Fotografie könne die Welt verändern, doch dieser Annahme kann ich überhaupt nicht zustimmen. Ich denke zwar schon, dass Fotos kurzfristig Veränderungen anregen können, aber wenn keine Aktionen folgen, verliert sich die Wirkung des Fotos nur allzu schnell. Zu glauben, Fotos könnten die Welt retten, ist eine sehr romantische Vorstellung. Doch die Welt ist nicht romantisch – ich glaube, das wissen wir alle.

Dennoch sind Tierfotos tatsächlich wichtig. Es herrscht Krieg, und wir werden laufend mit technischem Fortschritt und leicht verdaulicher Unterhaltung bombardiert, hängen ständig am Handy und vergessen dabei, die Natur wirklich zu sehen, sie wertzuschätzen. Wir kämpfen gegen eine stetig wachsende Flut von Objekten und Daten an, gegen einen digitalen Tsunami. Wir müssen daran erinnert werden, dass es dort draußen noch andere Wunder gibt, jenseits unserer Telefone, unserer Bildschirme, unserer Häuser – andere Wunder, die wichtig sind und die es verdienen, dass über sie Geschichten geschrieben und sie durch Kunstwerke gefeiert werden. Das ist die große Herausforderung, vor der wir Bildschaffenden stehen, die sich auf die Natur konzentrieren: einen Weg zu finden, Menschen anzusprechen und sie vom digitalen Abgrund zurückzureißen.

Ich wünsche mir, dass meine Arbeiten als Bildungsinstrument dienen. Sie sollten nicht einfach nur weitere hübsche Fotos sein, die man ein paar Sekunden lang bewundert, bevor man weitergeht. Ich finde, das ist seelenlos, die Verschwendung einer Chance zur Kommunikation. Die Bilder müssen die Betrachtenden dazu zwingen, eine Beziehung zu ihnen aufzubauen. Zu lernen und etwas mitzunehmen. Vielleicht nur ein kleines bisschen zoologisches Wissen, vielleicht aber auch den Anstoß, sich selbst etwas intensiver mit Zoologie zu befassen. Wer weiß, möglicherweise bringt ein einzelnes Foto ein Kind dazu zu begreifen, dass Käfer reine Konstruktionswunder sind. Denn diese kleinen Tiere sind nicht einfach nur Schädlinge oder etwas, wovor man Angst haben muss, sondern sie sind überaus schlau, unglaublich komplex und von lebenswichtiger Bedeutung für gesunde, funktionierende Ökosysteme.

Eine Frage stellt man mir immer wieder: Wie bringe ich die Insekten dazu, für die vielen Tausend Teilaufnahmen still zu halten? Wenn diese Frage nach einem Vortrag kommt, kichert das Publikum gewöhnlich. Natürlich sind die fotografierten Insekten Präparate und schon lange tot. Doch ich verstehe diese Frage als Kompliment, denn durch meine Fotografie kann ich sie sozusagen wieder lebendig machen. Die Porträts sind so lebensecht und authentisch, sie zeigen uns, was wir noch nie zuvor gesehen haben, und bringen uns dazu, Lebewesen zu achten, von denen wir vielleicht noch nie zuvor gehört haben.

Wir sind tagtäglich von Millionen von Insekten umgeben. Ich hoffe sehr, dass meine Fotos die Menschen dazu bringen, die Lebensräume dieser Tiere sorgsamer zu behandeln und zu helfen, sie zu schützen. Millionen und Abermillionen von Miniaturtieren sind nichts anderes als Schätze unseres wunderbaren Planeten, und wenn wir nicht besser auf sie aufpassen, werden wir sie am Ende verlieren.

(Vorherige Doppelseite) Bockkäfer *Sternotomis* sp., Museum of Natural History der Oxford University, 2014
(Links) Trauermücke, vor 40 Millionen Jahren in Tannenharz gefangen, 2018 fotografiert

Steve Winter

Hollywood-Puma

STEVE WINTER *fotografiert seit über 20 Jahren für*
National Geographic. *Er hat sich auf Fotos von Wild-*
tieren, insbesondere größere Katzen, spezialisiert,
und hält weltweit Vorträge über Artenschutzfragen.
Unter seinen zahlreichen Auszeichnungen sind Ernen-
nungen zum BBC Wildlife Photographer of the Year
und BBC Wildlife Photojournalist of the Year.

JEDE EINZELNE AUF unserem Planeten lebende
Spezies wurde durch Menschen beeinflusst,
und meist leider auf sehr negative Art. Wir müssen
die Geschichte der Tiere erzählen und Empathie für
sie aufbauen, denn wenn wir gegenüber Tieren Empathie empfinden, können wir vielleicht auch mehr
füreinander empfinden.

Als die Redakteure von *National Geographic* die
besten Fotos des letzten Jahrzehnts auswählten, war
darunter auch mein Pumafoto (links). Im Rahmen
meiner Arbeit an dieser Story besuchte ich den Zoologen, der in dem nördlich des Sunset Boulevards ge-
legenen Naherholungsgebiet Santa Monica Mountains
Pumas einfing und mit Senderhalsbändern versah.
Zuerst wollte er nichts mit mir zu tun haben, weil er
Journalisten lästig fand. Und so antwortete er auf all
meine Fragen einfach nur mit »nein«. Als ich ihm aber
erklärte, dass ich die wahre Geschichte von den Wildtieren in der Stadt erzählen und ein Foto von einem
Puma vor dem Hollywood Sign machen wollte, hielt
er mich für verrückt. Acht Monate später textete er:
»RUFEN SIE MICH SOFORT AN!!!!« Er hatte ein Foto-
fallenbild von einem Puma im Griffith Park, der nicht
weit von der Hollywood Bowl entfernt ist, und meinte,
die Aufnahme könnte möglich sein, sofern wir genügend Geschick und Geduld mitbrächten.

Insgesamt arbeitete ich 15 Monate lang an dem
Bild, denn so lange musste ich auf den Puma mit der
Kennnummer P-22 warten. Es stellte sich heraus, dass

er den Pfad, der an der Fotofalle vorbeiführte, nachts
häufig nutzte, während er sich tagsüber am Rand des
Friedhofs Forest Lawn versteckte, wo er seine Ruhe
hatte. Als wir endlich die Aufnahme im Kasten und
dann veröffentlicht hatten, drehten die Leute vor
lauter Begeisterung förmlich durch: In den Schulen
wurde über Wildtiere gesprochen, der Bürgermeister
erklärte den 22. Oktober zum »P-22-Day«, und jetzt
soll für Millionen von Dollar die größte Wildtierbrücke
der Welt gebaut werden, damit die Tiere gefahrlos den
Highway 101 überqueren können. An all dem lässt sich
erkennen, welch positiven Einfluss ein einziges Foto
haben kann.

* * *

Am Anfang meiner Karriere hatte ich keine Ahnung,
wie man Tiere fotografiert. Heute würde ich Neulin-
gen raten, zuerst das Fotografieren von Menschen zu
üben. Wenn man gelernt hat, die Welt mit den Augen
eines Fotojournalisten zu sehen, wird man automatisch bessere Fotos machen. In der Nacht vor meinem
ersten richtigen Tierfoto war ich krank vor Nervosität.
Für eine Arzneimittelfirma, die im Regenwald nach
neuen Wirkstoffen suchte, war ich in Costa Rica und
fieberte meinem ersten Dschungelfoto entgegen. Ich
wurde eingeladen, zu einer *arribada* mitzukommen,
einer Stelle am Strand, die Meeresschildkröten nachts
aufsuchen, um ihre Eier abzulegen. Ich wollte unbedingt den richtigen Moment einfangen und quälte
mich mit Überlegungen darüber, wie in aller Welt
ich das anstellen sollte. Mein größtes Glück wäre
natürlich eine alte Schildkröte, die für das Graben
ihres Nests die ganze Nacht brauchen würde. Und
genau auf die traf ich und konnte mein erstes Tierfoto schießen: von einer wunderschönen Schildkröte,
die nach der Eiablage ins Meer zurückkehrte. Mein
Redakteur war von dem Bild begeistert, und auf diese
Weise fand ich zur Tierfotografie.

(*Vorherige Doppelseite*) Schneeleopard, Hemis-Nationalpark,
Ladakh, Indien, 2008
(*Oben*) Oliv-Bastardschildkröte kehrt nach der Eiablage ins
Meer zurück, Playa Naranjo, Costa Rica, 1992

>>Die Fotografie ist überall, und für mich ist sie alles.
Sie ermöglicht uns, die Welt zu sehen, andere
Kulturen schätzen zu lernen und unser Bewusstsein
zu erweitern. Fotografie bedeutet, nach allen
Seiten hin offen zu sein.<<

Ich entwickelte den Ehrgeiz, Dinge zu versuchen, die noch nie zuvor versucht worden waren, und Geschichten aufzuspüren, die unsere Denkweise verändern konnten. Bald merkte ich auch, wie hilfreich es war, mit Leuten zu reden, ihnen zuzuhören und zu versuchen, ihnen zu helfen. Fotografie muss ein wechselseitiger Prozess sein. Ein Wissenschaftler erklärte mir einmal, warum er Fotografen hasste: >>Sie beanspruchen so viel unserer Zeit, und wir selbst haben nichts davon.<<

Er erwähnte, dass er Bilder brauche, um Spenden für sein Projekt zu sammeln, und so gab ich ihm ein paar Fotos. Das war ziemlich clever von mir, denn eine Weile später schrieb er mir in einer E-Mail vom Quetzal – einem Vogel, der mir zu meinem ersten Wildtierartikel in *National Geographic* verhalf.

Seither habe ich Fotostorys über Jaguare erstellt, um den Ruf dieser Raubkatzen zu verbessern. Aber ein schönes Foto allein reicht nicht. Brasilianische Rinderhirten machten für jedes tote Rind Jaguare verantwortlich. Ich wollte, dass die Menschen diese Raubkatzen in einem anderen Licht sehen, indem ich ihre Aufmerksamkeit auf neue wissenschaftliche Erkenntnisse lenkte. Meine Story beruhte auf Forschungsergebnissen, die auf den Ranches der Region ermittelt worden waren und erbracht hatten, dass Jaguare nur ein Prozent aller Rindertode verschulden.

Ähnlich verhält es sich mit Schneeleoparden, die in Nordindien häufig als Viehräuber verfolgt werden. Wir machten eine Story und sammelten Spenden, um die Impfung der Nutztiere zu finanzieren, denn die meisten dieser Tiere waren an Krankheiten gestorben und nicht in den Fängen der Raubkatzen.

Wir stellten ein Projekt auf die Beine, dessen Ziel es war, die Herden der Dörfer zu impfen. Die Gegenleistung der Dorfbewohner sollte darin bestehen, keine Schneeleoparden mehr zu töten. Und auf diese Weise fotografieren wir Tiere und helfen gleichzeitig ganzen Gemeinschaften. Schneeleoparden geht es am besten, wenn man sie einfach in Ruhe lässt. Die Lebensräume der Pumas in den Hollywood Hills wiederum haben wir so stark gestört, dass wir Wege finden müssen, das Zusammenleben von Menschen und Tieren zu verbessern. Ich erzähle die Storys, so gut ich kann.

Ich möchte hinzufügen, dass ich meine Fotos nur äußerst selten bearbeite. Der Hollywood-Puma sieht genau so aus, wie ich ihn damals sah: kein Zoom, keine Nachbesserungen, es ist einfach ein perfektes Bild. Das Blitzlicht hat ihn erstaunlicherweise überhaupt nicht gestört, er lief einfach weiter, schnurstracks durch zehn Aufnahmen hindurch. Wenn man sich die ursprüngliche RAW-Datei anschaut, kann man kaum glauben, wie sehr sich die Fotos gleichen. Die RAW-Datei ist übrigens wichtig, wenn man Wildlife Photographer of the Year werden will: Die Fotos müssen leben.

Ich gewann, weil mein Partner die Bewerbung für mich einreichte. Ich tat es deshalb nicht selbst, da ich in meiner Vorstellung bereits gewonnen hatte, denn ich hatte seit meiner Kindheit davon geträumt, für *National Geographic* zu fotografieren. Ich lebte bereits meinen Traum. Aber natürlich wusste ich auch, dass die Ausstellung durch die Welt reist und auf diese Weise unglaublich viele Menschen diese Bilder zu sehen bekommen, die Geschichte lesen und vielleicht ihren Teil zur Erhaltung der Art beitragen können. Mir selbst ist es wichtiger, dass unsere Fotos den Tieren, die für sie Modell standen, helfen. Auf diese Weise leben die Bilder wirklich.

Ranger schauen sich Fotos an, um die einzelnen Tigerindividuen zu bestimmen,
denn das hilft ihnen bei ihrer Arbeit für den Artenschutz und dem Kampf gegen
Wilderer, Thailand, 2010

Shannon Wild

SHANNON WILD *ist eine australische Wildtierfotografin und Filmemacherin. Sie ist Autorin mehrerer Bücher, leitet Foto-Workshops und ist Botschafterin von einigen Artenschutzorganisationen und Stiftungen.*

Beschreiben Sie ein selbst aufgenommenes Tierfoto, das Sie nie vergessen werden. Meine Muse ist meine Netzagame Raja. Ich weiß noch, wie ich Raja fotografierte und er seine Persönlichkeit regelrecht in Szene setzte. Er wirkte groß und selbstsicher, und in seinen Augen blitzte der Schalk auf.

Haben Sie ein Lieblingsfoto, das Sie selbst aufgenommen haben? Mir fallen da gleich mehrere ein, mein allerliebstes Lieblingsfoto aber ist das von einem Breitmaulnashorn mit einem Kuhreiher auf dem Rücken. In dieser Aufnahme steckt alles, was Wildtierfotografie für mich bedeutet: hinausgehen und zum richtigen Zeitpunkt am richtigen Ort sein und außerdem über das nötige Wissen sowie die nötige Erfahrung verfügen. Die Kuhreiher folgten diesem Südlichen Breitmaulnashorn und hielten nach Insekten Ausschau, die es beim Grasen aufscheuchte. Plötzlich flogen mehrere Kuhreiher hoch und auf die Kruppe des Nashorns zu – es sah aus, als sei es ein einziger Kuhreiher in unterschiedlichen Flugphasen, was mir besonders gut gefiel. Tatsächlich aber sind es drei Vögel. Ein schöner Augenblick vor dem Hintergrund eines herrlich launischen Himmels.

Was hoffen Sie zu erreichen? Derzeit will ich vor allem meinem Sujet gerecht werden, um seine Schönheit und seine Wichtigkeit hervorzuheben. Außerdem gefällt mir die technische Seite beim Fotografieren und Filmen. Das fertige Produkt muss für mich überdies eine Bedeutung haben und sowohl Gefühle als auch Neugier auslösen. Manchmal will ich nur die Schönheit des Sujets einfangen, andere Male geht es mir darum, die Probleme einer Art aufzuzeigen und wissenschaftliche Erkenntnisse zu belegen, um Informationen nachvollziehbarer zu machen. Ich glaube, dass beides wichtig ist.

Hat ein Tierfoto Sie jemals dazu veranlasst, Ihr Leben zu hinterfragen? Es ist das Foto einer fast verhungerten Orang-Utan-Mutter und ihres Babys. Nachdem die beiden von Brandrodungsfeuern aus ihrem Lebensraum vertrieben worden waren, wurden sie von Dorfbewohnern beinahe gesteinigt. Die Aufnahme wurde von International Animal Rescue veröffentlicht und hat mich sehr bewegt. Ich war schon ein paarmal in Borneo und habe die Zerstörung mit eigenen Augen gesehen. Seitdem achte ich sehr darauf, Palmöl zu meiden. Ich wurde Botschafterin für die Organisation Palm Oil Investigations, die Leitfäden für Verbraucher herausgibt. Aus ihnen lässt sich ersehen, auf welche Produkte man verzichten sollte. Das ist sinnvoll, denn die Palmölindustrie zerstört wichtige Lebensräume der Orang-Utans.

Gibt es ein Tierfoto, an das sie oft denken? Peter Beards Luftaufnahmen von riesigen Elefantenherden in Kenia aus den 1960er und 1970er Jahren, besonders die aus seinem Buch *End of the Game*, bleiben mir für immer im Gedächtnis haften. Ich würde gern mal so viele Elefanten auf einmal sehen, doch leider sind ihre Bestände durch Wilderei, Lebensraumzerstörung und andere menschliche Aktivitäten stark geschrumpft. Der Anblick der großen Herden muss atemberaubend gewesen sein.

Oft heißt es, die Fotografie könne die Welt verändern. Würden Sie das bestätigen? Was mich anbelangt, so konnte sie das absolut. Fotos machten mir die Existenz unglaublich interessanter Tierarten bewusst und regten mich dazu an, sie aufzusuchen. Fotos haben es mir ermöglicht, mich kreativ auszudrücken, die Welt zu bereisen, meinen Lebensunterhalt zu verdienen und gefährdeten oder verkannten Arten Aufmerksamkeit und Sympathie zu verschaffen. Deshalb: Ja, auf jeden Fall!

Südliches Breitmaulnashorn mit Kuhreihern, Südafrika, 2015

(Oben) Steppenschuppentier, Südafrika, 2019
(Rechts) Larvensifaka, Madagaskar, 2015

» Als Wildtierfotografin möchte
ich Mitgefühl wecken, sei es für ein
niedliches Löwenjunges oder eine
giftige Schlange. «

Shannon Wild

Dreizehenmöwen, Kongsfjord, Spitzbergen, 2017

Kiliii Yuyan

KILIII YUYAN *illustriert Themen der Arktis und der mit ihr verbundenen menschlichen Gemeinschaften. Der Fotograf mit nordostasiatischen und chinesisch-amerikanischen Wurzeln erkundet die Beziehung zwischen dem Menschen und der Natur aus den Perspektiven unterschiedlicher Kulturen. Yuyan ist ein mit Preisen ausgezeichneter freier Mitarbeiter von* National Geographic *und anderen bekannten Zeitschriften.*

Erinnern Sie sich, welches das erste Tier war, das Sie fotografiert haben? Als ich noch klein war, bin ich oft Katzen hinterhergeschlichen. Manchmal habe ich Schnappschüsse von ihnen gemacht oder sie mit Tricks hereingelegt, Sie wissen schon, solche wie der mit der Gurke. Dabei habe ich immer versucht, sie zu fotografieren, bevor sie mich bemerkt haben.

Haben Sie ein Lieblingsfoto, das Sie selbst aufgenommen haben? Mein derzeitiger Favorit ist eine Luftaufnahme von Moschusochsen, die sich am Hang eines Hügels bei Kotzebue, Alaska, versammelt haben. Einige meiner eigenen Lieblingsfotos sind die, die am schwierigsten zu schießen waren. An dem Tag war es -26 °C kalt, durch Windchill waren es aber eigentlich -38 °C. Die Windgeschwindigkeit lag bei 45 Knoten. Zum Glück ließ der Sturm gelegentlich etwas nach. Den Moschusochsen selbst machte das nichts aus, so ein Wetter ist für sie kein Problem.

Gibt es ein Foto oder ein Gesamtwerk, das Sie besonders neugierig gemacht hat? Erika Larsans Arbeit über die Sami erweckte meine Neugier, denn ich wollte herausbekommen, wie sie es geschafft hatte, so nahe an die Rentiere und ihre Hirten heranzukommen. Die Antwort war: Engagement. Sie hatte sich für dieses Projekt viel Zeit genommen und knapp vier Jahre lang bei einer Rentierhirtenfamilie gelebt. Für mich war das eine wichtige Lektion. Um mit Gemeinschaften in abgelegenen Regionen arbeiten zu können, muss man Vertrauen aufbauen und sich in den Rhythmus der Tiere einleben, an die diese Gemeinschaften sich angepasst haben. Man verschmilzt

mit all dem. Das ist etwas, das wir auch unseren Fotografiestudent:innen beibringen. Geduldig zu sein. Aufmerksam zu beobachten. Und respektvoll zu sein – gegenüber Tieren wie auch Menschen.

Wissen Sie, ob Fotos von Ihnen positive Auswirkungen hatten? Ich habe einen Jäger fotografiert, der einem Eisbär gegenübersteht. Jedes Mal, wenn dieses Bild durch die sozialen Netzwerke geht, erhebt sich eine Mailflut, weil die Leute falsche Schlüsse ziehen. Meiner Meinung nach ist es ein sehr wirkungsvolles Foto, weil die Leute zunächst den Jäger und seine Kultur infrage stellen, dann aber, wenn ihre Informationslücken behoben sind, besser begreifen, was es bedeutet, in der Arktis zu leben. Wichtig sind also der Kontext und eine aussagekräftige Bildunterschrift. Der Jäger wollte den Bären nicht töten, sondern die Kinder vor ihm schützen und dafür sorgen, dass Familien und Kinder vor den auf dem Polareis herumstreifenden Bären sicher sind. Wir Fotografen, die in Ureinwohnergemeinschaften arbeiten, müssen mit unseren Geschichten Verständnis für die Ureinwohner aufbauen und deshalb sehr sorgfältig auswählen, was wir zeigen und wie es sich auf die Geschichte auswirkt. Man muss nicht jedes Foto in die Welt hinausschicken. Die sozialen Netzwerke ignorieren den Kontext, und nur wenige Menschen nehmen sich die Zeit, die Hintergründe eines Bilds zu hinterfragen.

Sind Tierfotos wichtig? Ökosysteme benötigen sehr viele unterschiedliche Tierarten, um zu funktionieren. Als die ersten Aufnahmen von Walgesängen veröffentlicht wurden, veränderte sich die Einstellung zu diesen Tieren radikal – so sehr, dass die Leute die Jagd auf Wale nicht mehr akzeptieren können. Ähnliche Wirkung wie die Walgesänge haben ausdrucksvolle Tierfotos. Sie führen uns an ferne Orte und zeigen uns intime Situationen, die wir nie vergessen werden. Wir müssen begreifen, dass Ureinwohner die Natur bis heute intakt erhalten haben, und wir müssen auch ihre Sichtweisen verstehen, damit gesunde Wildtierpopulationen auch in Zukunft erhalten bleiben. Die Fotografie kann ihren Beitrag dazu leisten.

Flora Aiken aus dem Volk der Iñupiaq dankt für den ersten Grönlandwal
der Frühjahrssaison, aus der Serie *People of the Whale*, 2017

(Oben) Karibus, Teshekpuk Lake, Alaska, 2019
(Rechts) Ein Dorfhund nagt an den Überresten eines Walrosses,
Tschukotka, Russland, 2019
(Folgende Doppelseite) Luftaufnahme von Moschusochsen,
Kotzebue, Alaska, 2021

» Das Erzählen von Geschichten über die Tiere, denen wir begegnen, und über die Orte, die wir bereisen, ist ein allgegenwärtiger menschlicher Impuls. Ein Foto zeigt uns, wer wir sind und wie wir unsere Kultur sehen.«

Kiliii Yuyan

Daisy Gilardini

Daisy Gilardini engagiert sich als Fotografin für den Artenschutz. Sie hat sich auf die Polarregionen spezialisiert und ihren Schwerpunkt auf Wildtiere der Antarktis und nordamerikanische Bären gelegt. In mehr als zwei Jahrzehnten nahm sie an über 80 Polarexpeditionen teil und erreichte auf Skiern den Nordpol.

Gibt es ein Foto oder ein Gesamtwerk, das Sie besonders neugierig gemacht hat? Ami Vitales Arbeiten über Auffangstationen für Nashörner, Elefanten und Pandas in Afrika und Asien inspirierten mich sehr. Ich bewundere es, wie sie die tief greifende Beziehung zwischen den geretteten Tieren und ihren Pflegern einfängt. Sie lenkt meine Aufmerksamkeit auf die Tragödien, die diese Tiere erlebt haben, und schenkt mir gleichzeitig Hoffnung.

Haben Sie jemals Ihr Leben für ein Foto riskiert? Wenn man im Umgang mit Wildtieren Angst bekommt oder in eine gefährliche Situation gerät, dann hat man meist etwas falsch gemacht. Meiner Ansicht nach sollte man die Tiere zu ihren Bedingungen fotografieren. Das heißt, dass man sich in ihren Lebensraum begibt und sie selbst entscheiden lässt, ob sie mit einem interagieren wollen. Wenn sie einen als Teil der Landschaft akzeptieren, gewähren sie Einblicke in ihre Persönlichkeit. Um intime Wildtierfotos zu erhalten, muss man sehr geduldig sein und darf nichts erzwingen.

Oft heißt es, die Fotografie könne die Welt verändern. Würden Sie das bestätigen? Absolut! Die Fotografie ist eine universelle Sprache und wird von allen Menschen verstanden. Wir Fotograf:innen, die wir uns dem Artenschutz verschrieben haben, müssen die Schönheit von Orten und gefährdeten Arten festhalten und durch unsere Bilder Bewusstsein schaffen. Während die Wissenschaft Erklärungen und Lösungsvorschläge liefert, illustriert die Fotografie diese Lösungen. Die Wissenschaft ist der Kopf, die Fotografie das Herz. Um Kopf und Herz des Publikums anzusprechen und die Leute zum Handeln aufzurufen, brauchen wir beides.

Gibt es ein Tierfoto, das Ihre Welt verändert hat? Zweifellos ist es *Polar Dance* von Tom Mangelsen, auf dem zwei Eisbären miteinander kämpfen. Außerdem *Blue Iceberg* von Cherry Alexander, *Emperor Penguins* von Bruno Zhender sowie die Eisbärenfotos von Norbert Rosing. Als einer der Ersten fotografierte Rosing Eisbärmütter, die mit ihren Jungen aus der Geburtshöhle kommen. Eine Pionierarbeit, und keine leichte!

Gibt es ein Tierfoto, das Sie für Ihr bisher bestes halten? *Motherhood* ist mit Sicherheit eines meiner Signaturfotos. Ich glaube, dass jede Mutter auf der Welt bei diesem Anblick mitempfindet. Zu meinen neueren Lieblingsfotos zählt *The Sleeping Bear*. Ich fotografierte im Great Bear Rainforest fünf Jahre lang Kermodebären, die auch Geisterbären genannt werden und eine sehr seltene Unterart des Amerikanischen Schwarzbären sind. Damit wollte ich gemeinsam mit Kollegen und NGOs auf diese Region aufmerksam machen, durch die eine Pipeline gebaut werden sollte. Ein mit meinen Fotos illustrierter Artikel darüber erschien im September 2015 im *BBC Wildlife Magazine*. Zusammen mit einer Portfolio-Geschichte gewann mein Foto den Nature's Best Conservation Story Award und wurde im Smithsonian in Washington ausgestellt. 2016 entschied sich die Regierung endgültig gegen die Pipeline.

Sind Tierfotos wichtig? Die Menschen müssen eine Beziehung zu Tieren aufbauen können, um sich für sie zu engagieren. Wissenschaftliche Fakten, lange Artikel und Grafiken sind nicht annähernd so wirkungsvoll wie Bilder, die Herzen und Gefühle eher ansprechen. Es stimmt, dass ein Bild mehr sagt als tausend Worte.

(Oben) Motherhood (»Mutterschaft«), Eisbärmutter mit ihren zwei Jungen,
Hudson Bay, Kanada, 2016
(Folgende Doppelseite) Shadows (»Schatten«), Königspinguine, Volunteer Point,
Falklandinseln, 2018

>>Fotografie ist nicht nur eine Kunstform.
Sie stellt eines der mächtigsten
Kommunikationsmedien dar, die uns
zur Verfügung stehen.<<

Daisy Gilardini

(Oben) The Sleeping Bear (»Der schlafende Bär«), Kermode-
oder Geisterbär, Great Bear Rainforest, British Columbia,
Kanada, 2012
(Rechts) The Jump (»Der Sprung«), Braunbär beim Versuch,
Lachse zu fangen, Katmai-Nationalpark, Alaska, 2010

Anup Shah

ANUP SHAH *kam in Kenia zur Welt, wo er schon in jungen Jahren die Nationalparks erkundete. Fotos von Shah wurden in dem Buch* The World's Top Photographers: Wildlife 2004 *sowie in vielen Zeitschriften, darunter* National Geographic *und* Geo, *veröffentlicht. Shah ist Autor mehrerer Bildbände und wurde mit zahlreichen Preisen ausgezeichnet. Er gilt als einer der fünf »besten Wildtierfotografen der Welt«.*

Haben Sie ein Lieblingsfoto, das Sie selbst aufgenommen haben? Die hier im Buch abgedruckten Aufnahmen von Flusspferd, Giraffe und Gorilla mag ich sehr. Die beiden ersten sind Schwarz-Weiß-Fotos und wurden mit einer ferngesteuerten Kamera aufgenommen, eine Technik, die ich vor knapp 20 Jahren aufbrachte. Es sind extreme Weitwinkelaufnahmen vom Bodenniveau aus, die sechs wichtige Kriterien erfüllen: Unmittelbarkeit, Intimität, Immersion, Inklusion und Engagement. Das Porträt des Westlichen Flachlandgorilla-Weibchens Malui gibt einen tiefen Einblick in ihre Persönlichkeit.

Haben Sie jemals Ihr Leben für ein Foto riskiert? Eine gefährliche Situation mit Tieren habe ich noch nie erlebt. Das Wohl der Tiere hat höchste Priorität, und deshalb achte ich sehr darauf, dass sie entspannt bleiben und sich normal verhalten können. Nicht auszudenken, wenn ich mich in Gefahr brächte, um eine besondere Aufnahme zu machen, und das Tier würde mich dabei verletzen! Das Tier müsste von den Nationalparkrangern geschossen werden, weil es »gefährlich« geworden ist. Das wäre dem Tier gegenüber ungerecht.

Und warum fotografieren Sie Tiere? Aus einem egoistischen Grund: mein Bedürfnis, mich auszudrücken. Meine Werte, das, was ich bin, meine Philosophie, sie alle sprechen aus meinen Fotos. Ich fotografiere vor allem »große Wildtiere in einem großen Land unter großem Himmel« in Ostafrika, wo ich aufgewachsen bin. Durch die Fotografie fühle ich mich mit dem Land verbunden, in dem unsere Vorfahren Seite an Seite großer Wildtiere lebten,

vielleicht sogar in Harmonie, aber sicher in einer Verbindung, die stärker ist als heute. Vielleicht kommt daher mein Bedürfnis, diese alte Beziehung, die in mir nachhallt, zum Ausdruck zu bringen.

Oft heißt es, die Fotografie könne die Welt verändern. Würden Sie das bestätigen? Während ein Foto veröffentlicht wird, passieren auf der Welt zahllose andere Dinge, und deshalb ist es unrealistisch, der Fotografie diese Wirkung zuzuschreiben. Es ist schwer, die Wirkung einer Variablen eines Ereignisses von der anderer Variablen zu trennen. Alles, was ich dazu sagen kann, ist, dass gut gemachte, provozierende Fotos die Menschen tatsächlich mit Tieren mitfühlen lassen - zumindest kurzfristig.

Gibt es ein Tierfoto, das Ihr Leben verändert hat? Es gibt ein sehr dramatisches Foto eines Leoparden, der einem Pavian gegenübersteht, und das vor vielen Jahren auf einer Doppelseite der Zeitschrift *LIFE* abgedruckt war. Es stammte von John Dominis, der in Korea Kriegsfotograf gewesen war. Das Bild ist so eindrucksvoll, dass man es nicht mehr aus dem Kopf bekommt. Jahre später gab John zu, dass das Foto inszeniert war. Damals hatte ich mich bereits dafür entschieden, Wildtierfotograf zu werden, und ich bin immer noch froh über diese Entscheidung, allerdings sind meine Bilder alle unverfälscht.

Die Aufnahmen in meinem Buch *Serengeti Spy* entstanden alle in ostafrikanischen Ebenen. Wenn ich die Locations auswähle, stütze ich mich auf mein Wissen über die Tiere. Ich kenne all die Wasserlöcher, die in der Trockenzeit von ihnen aufgesucht werden, ich kenne die Früchte tragenden Bäume, zu denen die Elefanten gehen, wenn die Früchte reif sind, und so weiter. Natürlich gibt es auch glückliche Zufälle, etwa wenn ich einen Kadaver gefunden habe. Doch ich halte mich stets an die Regel, dass das Tier Vorrang hat. Würde ich Tiere beispielsweise mit Futter anlocken, dann würde ich sie daran gewöhnen, von Menschen Futter zu erwarten, und damit automatisch in ihr natürliches Verhalten eingreifen.

Malui, ein Westliches Flachlandgorilla-Weibchen, durchquert eine Wolke aus
Schmetterlingen, Dzanga-Sangha-Nationalpark, Zentralafrikanische Republik, 2011

(*Oben*) Ein Flusspferd schnellt aus dem
Wasser, Masai Mara, Kenia, 2013
(*Rechts*) Eine Giraffe flüchtet vor einer
Löwin, Masai Mara, Kenia, 2012

»Wir stellen immer mehr Hindernisse zwischen unserem Sehen und der realen Natur in der realen Welt. Wenn die Fotografie einen höheren Zweck hat, dann den zu sehen.«

Anup Shah

Geier versammeln sich an einem Zebrakadaver, Masai Mara, Kenia, 2010

Will Burrard-Lucas

WILL BURRARD-LUCAS ist Fotograf, Autor und Unternehmer. Zu seinem Markenzeichen zählen sehr nah und intim wirkende Weitwinkelaufnahmen. 2009 erfand er die sogenannte BeetleCam, einen ferngesteuerten Kamerabuggy, den er nach Afrika mitnahm und seither immer wieder einsetzt. In Afrika arbeitet er häufig an Langzeitprojekten.

Erinnern Sie sich, welches das erste Tier war, das Sie fotografiert haben? Das war ein Schwarzbär an der Küste von British Columbia 2001 und genau der Augenblick, in dem ich mich in die Wildtierfotografie verliebte. In jener Hundertstel Sekunde veränderte sich mein Leben. All meine Leidenschaften mündeten in meine Berufung: Natur, Technik, Kreativität und Abenteuer.

Welche Naturfotograf:innen bewundern Sie am meisten? [Michael] »Nick« Nichols, Steve Winter, Charlie Hamilton James, Ami Vitale bewundere ich aus verschiedenen Gründen, doch sie haben auch vieles gemeinsam: ihr künstlerisches Talent, ihren Umgang mit Technik, ihren Einfallsreichtum, ihre Fähigkeit, Geschichten zu erzählen, die Wirkung, die ihre Arbeit hat, ihre Hingabe an ihre Projekte und die Opfer, die sie bringen, um ihre Fotos aufzunehmen.

Welches ist das einflussreichste Tierfoto aller Zeiten? Ich denke da an die historischen Aufnahmen von Beutelwölfen. Ein fantastisches Tier, das von Menschen ausgerottet wurde und von dem wir heute nur noch eine Handvoll Fotos sowie einen Film aus den 1930er Jahren haben. Der Film zeigt den Beutelwolf, wie er in seinem Käfig hin und her läuft. Ob wohl alte Geister wie dieser dafür sorgen werden, dass wir niemals vergessen und wir uns wünschen, uns nicht über derartige Verluste definieren zu müssen?

Gibt es ein Tierfoto, das Sie für Ihr bisher bestes halten? Der schwarze Leopard unter den Sternen. Es war das Foto, das mir die größten Schwierigkeiten bereitete. Normalerweise setze ich fünf bis sieben Fotofallen ein. Damit die Aufnahme funktioniert, müssen aber viele Faktoren zusammenkommen. Erstens muss es natürlich eine klare Nacht sein. Doch als die Regenzeit begann, verdeckten immer häufiger Wolken den Himmel. Außerdem musste die Nacht sehr dunkel sein, Mond- oder Dämmerungslicht würde die Sterne blasser erscheinen lassen. Damit die Sterne aufgenommen werden konnten, war eine Belichtungszeit von mindestens 15 Sekunden notwendig. Mehrmals wurden einige dieser Anforderungen erfüllt, aber dann lief der Leopard in die falsche Richtung. Außerdem machten andere Tiere Probleme. Ich stellte eine meiner Kameras auf einem Felsvorsprung auf dem Gelände der Suyian Ranch so auf, dass sie die Landschaft von Laikipia aufnahm, das Land der Leoparden. Nach wenigen Tagen fotografierte sie einen jungen Leoparden in der Dämmerung, doch bald darauf entdeckte eine Bande von Pavianen die Kamera und riss sie in Stücke. Sechs Monate später stellte ich drei Kameras auf einem vielversprechenden Felsen auf. Eine davon war eine Infrarot-DSLR-Kamera, die ich dazugenommen hatte, um eine Hintergrundaufnahme zu machen. Eifrig kontrollierte ich die übrigen Apparate, und auf dem an unterster Stelle stehenden entdeckte ich schließlich meine Traumfotos!

Was bedeutet Ihnen die Fotografie? Beim Fotografieren geht es darum, Momente einzufangen, Schönheit festzuhalten, Gefühle zu wecken und Menschen zu bewegen. Dabei spielt nicht nur das Foto selbst eine Rolle, sondern es geht auch darum, es mit der Welt zu teilen, damit es die Möglichkeit erhält, Menschen zu beeinflussen.

Löwenjunge, Masai Mara, Kenia, 2011

(Oben) Schwarzer Leopard, Laikipia, Kenia, 2019

Paul Souders

Auf mich gestellt

PAUL SOUDERS *hat als Wildtierfotograf alle Kontinente der Erde bereist. 2013 wurde er mit dem Grand Prize des National Geographic Photo Contest geehrt.*

EIGENTLICH IST MEINE Großmutter an allem schuld. Irma war eine eifrige Amateurfotografin, die in den 1960er Jahren regelmäßig Pauschalreisen buchte und somit Teil jener ersten Welle von Amerikaner:innen war, die nach dem Krieg auszogen, um die Welt zu erkunden. Sie besuchte Paris, Kairo und Hongkong, fuhr den Ganges hinauf und den Amazonas hinunter und hatte stets ihre alte Nikkormat SLR an einem Lederriemen um ihren Hals hängen. Nach ihrer Rückkehr versammelte sich die Familie in einem abgedunkelten Zimmer und schaute sich ihre Diashow an. Alles auf den Fotos war ganz anders als in unserer kleinen Welt im ländlichen Pennsylvania.

Zu Weihnachten 1974 schenkte sie mir meinen ersten Fotoapparat, eine Kodak Instamatic, in die man einen 126-Kassettenfilm einlegte. Sofort rannte ich nach draußen, um zwölf Fotos von kahlen Winterbäumen in grauem Tageslicht zu schießen, und wartete dann gespannt auf die Abzüge. Ich kann mich vage daran erinnern, dass ich von den Bildern enttäuscht war, dennoch ließ ich mich nicht entmutigen. Wenn meine Großmutter die Welt bereisen und tolle Fotos machen konnte, warum dann nicht auch ich? Schließlich war alles, was ich dafür noch brauchte, Talent, Geld und Gelegenheiten!

Die kleine Instamatic baumelte jahrelang an meinem Handgelenk. Ich gab mein gesamtes Taschengeld für Filme und ihre Entwicklung aus und fotografierte bei meinen Little-League-Basketballspielen und den Modellraketenstarts, bei den Hirschjagden meines Vaters und den Familienurlauben am Meer. Zu meinem großen Bedauern sind all diese Bilder verloren gegangen. Kein großer Verlust für die Welt

der Kunst, aber doch verschwundene Schnappschüsse aus einer Zeit, die mir inzwischen sehr lange zurückzuliegen scheint. Abgesehen von der Promenadenmischung, mit der ich aufwuchs, war das erste Tier, das ich meiner Erinnerung nach fotografierte, ein Weißwedelhirsch, der kurz vor Beginn der Jagdsaison durch unseren Garten spazierte.

Ich hatte nie vor, Naturfotograf zu werden. Dort, wo ich herkomme, besteht die Natur überwiegend aus vor sich hin rostenden Autokadavern, Giftefeu und Stacheldrahtzäunen. Zu Beginn meiner Karriere hoffte ich, eines Tages ein berühmter Kriegsfotograf zu sein, wie beispielsweise Robert Capa und W. Eugene Smith. In unserer Stadtbibliothek fand ich ein Exemplar von Smiths Buch *Let Truth be the Prejudice* und bewunderte die Schönheit und Wahrheit dieser Bilder menschlichen Leidens. Doch war es Galen Rowells Buch *Mountain Light*, das mich für die Wunder unserer natürlichen Umgebung begeisterte.

In den ersten zehn Jahren meines Berufslebens arbeitete ich als Fotoreporter. Sogar bei dieser Tätigkeit für kleine Lokalblätter erlebte ich so viel menschliches Unglück, dass ich mir überlegte, mich doch lieber nach einem anderen Genre umzusehen. Zufällig stieß ich auf ein Jobangebot bei einer Zeitung in Anchorage, Alaska. Plötzlich konnte ich gleich morgens nach dem Aufstehen im Vorgarten einen Elch vorfinden und auf dem Weg zur Arbeit Weißkopfseeadlern begegnen. Da ich zwischen einer Hühnerfarm und einer Wohnwagensiedlung aufgewachsen war, war das alles für mich neu. In meiner Freizeit erkundete ich die Wildnis rings um die Stadt. Die Landschaften und Tiere, die ich dort zu sehen bekam, waren wesentlich interessanter als das meiste, was ich für die Zeitung fotografierte.

Doch immer noch glaubte ich, nie im Leben von meinem Chefredakteur oder gar von *National Geographic* damit beauftragt zu werden, die Bilder zu

>>Fotografie ist das Bemühen, im Alltag Magie und Wunder zu finden und sie dann innerhalb des Rahmens einer Aufnahme einzufangen, wie einen Blitz in einer Flasche.<<

schießen, von denen ich träumte, und deshalb investierte ich mein bisschen Geld in eine eigene Expedition. Ich kündigte den sicheren Job, packte meinen Truck voll und fuhr los. Von nun an lebte ich von der Hand in den Mund und verdiente durch den Verkauf meiner Fotos gerade eben genug, um mich von Ramen-Nudeln und billigem Bier zu ernähren und immer weiterzufahren. Unterwegs auf meiner Reise von Alaska über Südafrika in die Antarktis entdeckte ich eine völlig neue, von großen, gefährlichen Tieren bevölkerte Welt.

* * *

Jahrelang hatte ich erzählt, dass ich zur Hudson Bay hinaufwollte, um Eisbären zu sehen. Aber nicht zusammen mit anderen Touristen, sondern allein. Endlich beschoss ich loszuziehen, um sie zu finden. Ich packte ein drei Meter langes Schlauchboot, einen Außenbordmotor und so ziemlich alles, was ich an warmer Kleidung und Fotoausrüstung besaß, in meinen Truck und fuhr gut 2400 Kilometer zu jenem Bahnhof, von dem der Zug abfährt, der einen quer durch den borealen Nadelwald nach Churchill, Manitoba, bringt.

Als ich ungefähr 20 Stunden später meinen Zielort in Kanada erreichte, begrüßten mich, obwohl es Juni war, kalter Regen und Packeis. Der Zug fuhr ab und ließ mich neben meinem riesigen Berg von Ausrüstung zurück. Leider hatte ich keinen wirklichen Plan, nur ein kleines Schlauchboot, mit dem ich dem eisigen Wasser und den schlecht gelaunten Eisbären trotzen wollte. Doch sobald der Wind nachließ, wagte ich mich auf das Wasser, navigierte vorsichtig zwischen Eisschollen hindurch und hielt Ausschau nach Bären. An diesem Tag und an den folgenden Tagen starrte ich stundenlang auf das Wasser und legte dabei Hunderte von Kilometern zwischen schmelzendem Packeis zurück.

Häufig hielt ich an, kletterte auf den höchsten Punkt, den ich erreichen konnte, und suchte den Horizont nach weißen Bärenkörpern vor weißem Hintergrund ab. Ich blieb draußen, bis die Mitternachtssonne unter dem Horizont verschwand und ich mit GPS zurück nach Churchill fahren musste.

Mitte Juli zogen ein paar Stürme übers Land, und danach hielt der Sommer mit Rekordtemperaturen Einzug, begleitet von schwarzen Stechfliegen und dem Rauch ferner Waldbrände. Im orangefarbenen Licht der untergehenden Sonne sah jeder Strauch wie ein Bär aus. Von einem schmelzenden kleinen Eisberg aus beobachtete ich meine Umgebung – und sah dann noch einmal genauer hin, denn etwas hatte sich bewegt: In gut 500 Meter Entfernung war ein junger Bär aufgewacht und trottete vom Eis zum Wasser. Ich rutschte auf dem Po meinen Eisberg hinunter, sprang in mein Boot und fuhr los, auf den Eisbären zu.

Die meisten Bären machen um Menschen einen weiten Bogen, doch dieses Tier, der Größe und dem Körperbau nach zu urteilen ein junges Weibchen, schien eher neugierig als beunruhigt zu sein, als ich mich näherte. Wir bewegten uns beide durch das Wasser. Noch trennten uns hundert Meter, dann fünfzig, dann … Verdammt, der Bär war ganz schön nah!

Eilig holte ich meine Fotoausrüstung aus den Taschen und nahm das Eisbärweibchen mit allem auf, was ich dabeihatte: Teleobjektiv, Weitwinkel, Kamera mit Unterwasserschutz und Fischaugenobjektiv – mit einer Hand, während ich mit der anderen mein Boot lenkte. Ich montierte sogar eine Kamera auf eine 1,8 Meter lange Halterung und versuchte, sie in die Nähe der Bärin zu schwenken. Doch die Folge war, dass die gesamte Konstruktion ins Meer fiel und das Salzwasser alles zerstörte. Unbeeindruckt holte ich eine weitere Kamera heraus und knabberte die Isolierung eines Kupferkabels ab, um schnell eine Ersatz-Fernsteuerung zu basteln.

(Oben) Eisbär, Hudson Bay, Nunavut, 2013
(Folgende Doppelseite) Ein Eisbär taucht unter schmelzendes Eis, Hudson Bay, Nunavut, 2012   297

Als die Bärin unter einen Eisberg schwamm, konnte ich das Boot näher heranlenken und die Halterung neben ein Eisloch hängen. Die Bärin tauchte zum Luftholen auf, und ich knipste los, drückte immer wieder auf den Fernauslöser und betete, dass dabei irgendwelche scharfen Bilder entstanden. Sie tauchte kurz ab und kam dann noch einmal zum Atmen hoch, bevor sie unter dem Eis verschwand.

Die Mitternachtssonne hing wie ein sterbender Stern am dunstig orangefarbenen Himmel. Die Bärin tauchte wieder auf und paddelte in einem wie geschmolzenes Metall glänzenden Meer gemächlich auf den Sonnenuntergang zu. Dieser Augenblick fühlte sich wie etwas unendlich Kostbares an, das mir geschenkt worden war, damit ich es bis ans Ende meiner Tage im Gedächtnis behielt. Ich hätte der Bärin noch stundenlang durch die dämmrige arktische Sommernacht folgen können. Trotzdem stellte ich den Motor ab und ließ das Boot treiben. Schweigend sah ich sie davonschwimmen und allmählich verschwinden.

Als ich eine Woche später in dem Zug nach Süden saß, sah ich die Fotos auf meinem Laptop durch. Da war meine Bärin, wie sie über das Eis lief, im Meer schwamm und tauchte. Und da war plötzlich dieses eine magische Bild, das ich noch nie zuvor gesehen und mir auch noch nie vorgestellt oder jemals erträumt hatte: Auf diesem Foto lässt sich die Eisbärin unter der Oberfläche treiben, umgeben nur von Wasser und Eis, im dunstigen, goldenen Licht der Abendsonne. Ich musste laut lachen, und stolzierte dann wie ein Verrückter durch sämtliche Waggons, um all den Fremden im Zug mein Foto zu zeigen. Es war das beste Bild, das ich in meinen 40 Jahren als Profifotograf geschossen habe.

Eisbär, Harbour Islands, Nunavut, 2014

Fragmente

Martin Parr, Pommes frites fressende Möwen aus der Serie *West Bay*, 1996

Eric Hosking, eine Schleiereule kehrt zu ihrem Nest zurück, Suffolk, Großbritannien, 1948

»ammlung von Köpfen und Geweihen«, Bronx Zoo, New York, 1910

David Chancellor, Trophäenraum aus der Serie *Safari Club*, 2013

Laton Alton Huffman, »Sein erster Grizzly«, Stereografie, 1882

Elliott Erwitt, Chihuahua-Kontaktabzüge, New York, 1946

Matt Stuart, *Trafalgar Square*, London, 2007

Richard Peters, *Shadow Walker* (»Schattenläufer«), Surrey, Großbritannien, 2015

Henri Cartier-Bresson, Henri Matisse skizziert eine Taube, Vence, Frankreich, 1944

Dmitry Kokh, Eisbären in einer verlassenen Wetterstation, Insel Koljutschin, Tschukotka, Russland, 2021

Kreativ sein

»Ich behaupte nicht, eine Kunst perfektioniert zu haben, sondern ich habe eine begonnen, deren Grenzen zu bestimmen derzeit noch nicht möglich ist.«

William Henry Fox Talbot

DIE ERDE IST 4,6 MILLIARDEN Jahre alt. Rechnen wir diese Zeitspanne auf 46 Jahre um, gibt es uns Menschen erst seit vier Stunden, und die industrielle Revolution hat vor einer Minute angefangen. Innerhalb dieses Zeitraums haben wir über 50 Prozent der Wälder des Planeten zerstört. Natürlich kann es so nicht weitergehen. Derzeit verbrauchen wir innerhalb eines Tages 100 Millionen Barrel Erdöl. Tag für Tag gehen ungefähr 200 Arten verloren, sodass man mit Recht sagen kann, dass wir uns mitten im sechsten Massenaussterben befinden. Wir geben Milliarden von Dollar für die Suche nach Leben auf anderen Planeten aus und töten gleichzeitig das Leben auf unserer Erde. Wann wird dieser Wahnsinn ein Ende haben?

Wir müssen die Zukunft für uns und unsere tierischen Verwandten neu erfinden. Statistiken können uns vielleicht nicht dazu bringen, gegen den Klimawandel anzukämpfen, Geschichten aber schon. »Sag mir die Fakten, und ich werde lernen; erzähl mir die Wahrheit, und ich werde glauben; aber erzähl mir eine Geschichte, und sie wird ewig in meinem Herzen leben«, lautet ein Sprichwort der amerikanischen Ureinwohner. Oder, wie Richard Powers es formulierte: »Selbst die besten Argumente der Welt können die Einstellung eines Menschen nicht verändern. Das Einzige, was das vermag, ist eine gute Geschichte.«

Geschichten formen unser Leben. »Künstler müssen sich der Klimakrise entgegenstellen, wir müssen so formulieren, als ob dies die letzten Tage wären«, schreibt Ben Okri. Geschichten wirken auf unseren Kopf und unser Herz ein und helfen uns, uns eine bessere Welt vorzustellen. Kreativität kann Bewusstsein lenken und Perspektiven verändern.

In der langen Geschichte der Mensch-Tier-Beziehungen taucht die Fotografie erst relativ spät auf, und dennoch veränderte sie unsere Sicht der Tiere radikal. John Berger schrieb: »Zoos, realistisches Spielzeug in Tierform und die kommerzielle Verbreitung von Tierbildern kamen auf, als Tiere in unserem Alltag seltener wurden. Vielleicht waren diese Innovationen ein Ausgleich, gleichzeitig aber waren sie Produkte derselben skrupellosen Strömung, die die Tiere seltener werden ließ.«

Auf die Frage, wie wir fotografieren, gibt es eine Vielzahl von Antworten, und auch das Warum des Fotografierens hat sich weiterentwickelt.

William Henry Fox Talbot, Flügel einer Gepunkteten Laternenträgerzikade, 1839
–
Talbot schuf Bilder mithilfe eines Sonnenmikroskops. »Was ist letztlich die Natur, wenn nicht ein großes Feld von Wundern, die unser Begriffsvermögen übersteigen?«, schrieb er.

Viele der für dieses Buch interviewten Fotograf:innen engagieren sich unermüdlich für den Artenschutz. Natürlich existierte in den frühen Tagen der Fotografie diese Motivation noch nicht, die Begeisterung dafür, mit neuen Techniken zu experimentieren, dagegen schon.

Wir werden wohl nie erfahren, warum Montizón ein Flusspferd ablichtete, oder warum sich Leen ausgerechnet zu Fledermäusen hingezogen fühlte; warum George Shiras Nacht für Nacht in einem Kanu in die Dunkelheit hinauspaddelte, oder warum Kearton sich, als Baum verkleidet, stundenlang auf ein Feld stellte; aber sicherlich war Neugier eine Eigenschaft, die sie alle teilten. Und Liebe vielleicht auch. Wir verbringen unsere Tage mit dem Fotografieren von Tieren, weil es nur Weniges gibt, das wir lieber täten. Mir gefiel schon immer die Antwort von Jean-Louis Etienne auf die Frage, warum er sich an Polarexpeditionen beteilige: »Weil ich es mag. Niemand fragt einen Basketballer, warum er spielt: Er tut es, weil es ihm Freude bereitet. Es ist, als würde man jemanden fragen, warum er Schokolade liebt.«

Kreativität kann auch ein Mittel gegen Verzweiflung sein. Vielen Fotografen hilft die Arbeit in der Natur und besonders die mit Tieren, in dieser Epoche der Klimakrise einen Lebenssinn zu finden. Sie fotografieren, um das Bewusstsein für den Umweltschutz zu stärken und zum Aufbau einer Gesellschaft beizutragen, die die Natur schätzt. Und Sie können das auch.

Unsere Kameras sind Instrumente der Parteinahme und des Handelns. Die Generation Angst, die Britt Wray beschreibt, fühlt sich machtlos wie keine vor ihr und verzweifelt an ihrer tagtäglichen Versorgung mit Schreckensnachrichten. Doch man sieht auch, wie Menschen dagegen ankämpfen, wie sie sich weigern, den Status quo und die Passivität der Klimaleugner zu akzeptieren. Wir dürfen uns den Tatsachen des Lebens auf unserem übervölkerten, verletzten, aber immer noch wunderschönen Planeten nicht verschließen, sondern müssen auf positive und konstruktive Weise handeln.

Kreativität kann also helfen, aus unserer Angststarre gegenüber dem Klimawandel zu erwachen. Hoffen ist an sich bereits ein kreativer Vorgang, solange es nicht nur allein beim Wunschdenken bleibt. Chase Jarvis sieht es richtig: »Das beste Gegengift gegen negative Gedanken ist kreatives Handeln.«

* * *

Wenn ich nicht gerade Arktis-Expeditionen leite oder aber versuche, Bücher zu machen, unterrichte ich an der Universität Cornwall Naturgeschichte und Fotografie. Unser Kurs, der mit den Fotos von Haustieren und

»Anleitung für das Leben: Sei aufmerksam. Staune. Erzähle davon.«

Mary Oliver

(Rechts) Marsel van Oosten, Schneeaffe, Jigokudani, Japan, 2014

-

»Die meisten Tiere macht Unvertrautes neugierig«, sagt Marsel. »Elefanten heben Kameras hoch und werfen sie weg ... Nashörner stoßen sie um, und große Fleischfresser beißen hinein.«

(Folgende Doppelseite) Sergey Gorshkov begegnet einem neugierigen Fuchs, Kamtschatka, 2008

-

»Das ist jetzt mein Leben«, erklärt Sergey. »Meine Lieblingsorte sind die russische Arktis und die Taiga. Es sind sehr alte und stille Orte. Man hört auf zu zählen, man geht in den Tagen und der Welt der ungezähmten Natur auf. Jeder von uns hat seine eigenen Träume und Lebensziele, und jeder hat seine Taiga, seinen unzugänglichen Lieblingsort.«

Papageien begann, schwang sich zu sinnvollen und ambitionierten, oft international angelegten Projekten auf. Ebenso wie die in diesem Buch vorgestellten professionellen Fotograf:innen fragte ich auch meine Student:innen, warum sie Tiere fotografieren.

Die unterschiedlichsten Tiere in ihrer natürlichen Umgebung zu beobachten, kann sehr erfüllend sein. Und dabei spielt es keine Rolle, ob es sich um Wale, Wölfe oder Würmer handelt – man sollte sich mit dem befassen, was man liebt, denn so erfüllt man sein Leben mit Sinn. Eine einfache Erkenntnis, die ich meinen Student:innen, aber auch allen anderen Menschen mit auf den Weg geben möchte. Der Sinn kommt durch die Einsicht in das besondere Wesen der Tiere oder in ihre ökologischen Rollen. Er kann auch dadurch entstehen, dass man anderen Menschen hilft, etwas Neues lernt oder das tut, was man am besten kann. Dadurch, dass man sich selbst und andere weiterbildet.

Die Antworten meiner Student:innen, warum sie Tiere fotografieren, drehen sich um ähnliche Themen. In ihnen tauchen immer wieder Begriffe wie Faszination, Bewunderung und Neugier auf. Sie fotografieren, weil sie an Tieren interessiert und Tiere ihnen wichtig sind, weil sie gern Zeit in der Natur verbringen. Sie nutzen die Fotografie, um mehr über Tiere herauszufinden und darüber nachzudenken, wie wir Menschen die Welt sehen. Um zum Artenschutz beizutragen, wissenschaftliche Erkenntnisse zu vermitteln und auf die Probleme von Tierarten aufmerksam zu machen. Um bessere Weltbürger zu werden. Um aktiv zu sein.

Was sind also die Gründe, Tiere zu fotografieren? Die Antworten klingen doch alle ganz verständlich: »Weil ich unheimlich gern draußen bin«, sagt Ben, »und die Schönheit der Welt um mich herum zeigen will.« »Weil es mich glücklich macht«, sagt Nicole. »Weil Tiere wesentlich cooler sind als Menschen«, sagt Lali. Und Bryony fragt zurück: »Warum nicht?«

Chronologie

Ähnlich wie die Evolution der Arten ist die Geschichte der Fotografie komplex und reich verzweigt. Natürlich geht es in ihr um große Entdeckungen und technischen Fortschritt, vor allem aber um kleine Veränderungen, Fehler, faszinierende neue Techniken und frustrierende Fehlstarts. Ein fragmentierter Fortschritt also, voller Entzücken und Enttäuschungen, gelegentliche Erfolge, Ruhm und häufige Opfer und Verluste: zerbrochene Platten, falsche Belichtungszeiten, verlorene Ausrüstungsteile, verpuffte Träume, vergeudete Zeit. Bei den wahrhaft Berufenen aber siegt die Neugier über alles. Bedeutung und Ansehen der Fotografie wachsen nur allmählich, aber stetig, weil Männer und Frauen aus aller Welt mit ihren Kameras die Grenzen immer weiter austesten und laufend neue Möglichkeiten entdecken. Und in dieser Entwicklung von der Daguerreotypie zur digitalen Fotografie, von der Atelieraufnahme zum Weltraumfoto spielen Tiere eine wichtige Rolle.

Frank Haes, Gepard im
Londoner Zoo, 1865

vor 30 000 Jahren
Die ersten Bilder werden mit Naturpigmenten und Steinwerkzeug angefertigt. Schon die Anfänge der visuellen Kultur thematisieren Tiere. Sie werden auf Felswände gezeichnet und aus Elfenbein und Knochen geschnitzt.

1826
Nicéphore Niépce experimentiert mit einem Verfahren, um Bilder einzufangen. Die erste erhaltene Fotografie zeigt die Aussicht aus einem Fenster seines Gutshofs in Saint-Loup-de-Varennes. Undeutlich erkennt man einen Taubenschlag, einen Birnbaum, ein Scheunendach und den Schornstein des Backhauses. Niépce bezeichnet sein Verfahren als Heliographie, abgeleitet vom griechischen *helios* für Sonne und *graphe* für Schrift.

1838
Louis Daguerre gelingt das erste Foto eines Tiers: Er fotografiert einen Mann, der sich an der Ecke des Pariser Boulevard du Temple die Schuhe putzen lässt. Da die Belichtungszeit etwa sieben Minuten betrug, ist alles, was sich an dem Mann vorbeibewegte, wie Passanten, Kutschen, Pferde und Hunde, nicht zu erkennen.

1839
Die Erfindung der Fotografie wird verkündet: William Henry Fox Talbot stellt seine »photogenen Zeichnungen« vor. Unter anderem fertigte er mithilfe eines Sonnenmikroskops Aufnahmen von Insektenflügeln an. Daguerre stellt in der Académie des Sciences die von ihm entwickelten Methoden vor. Schon Monate später wird seine Technik auch in Amerika angewendet.

Louis-Auguste Bisson, Hengst der Rasse Cleveland Bay, 1841

Roger Fenton, Skelett des ausgestorbenen Moa, 1854

John Dillwyn Llewelyn, Junge mit Löwenbabys, 1854

Harry Pointer, Selbstporträt mit seinen Katzen, 1870

1840
Von Talbots Methoden angeregt, legt die Künstlerin Sarah Anne Bright in Bristol Blätter und andere Objekte auf lichtempfindliches Papier. Im Album ihres Bruder sind das Bild eines Blatts und das der Eikapsel eines Katzenhais erhalten. Dem französischen Arzt Alfred Donné gelingen detailreiche Bilder eines Fliegenauges.

1841
Louis-Auguste Bisson erlernt von Daguerre das Daguerreotypieverfahren und wird zum professionellen Fotografen. Für die Tiermalerin Rosa Bonheur fotografiert er einen Hund und später Pferde. Er geht zur Fotografie auf Papier über und bereist ganz Europa.

1842
Joseph-Philibert Girault de Prangey gelingt eines der ersten Tierfotos: das eines Dromedars in der Wüste bei Alexandria.

1843
Anna Atkins fertigt Cyanotypien von Algen an und veröffentlicht mit *British Algae* den ersten Fotobildband. Im folgenden Jahr stellt Talbot sein Buch *The Pencil of Nature* vor und macht Fotografien so einem breiteren Publikum zugänglich.

1848
Der französische Physiker Edmond Becquerel experimentiert mit Metallplatten, die mit Silberchlorid präpariert wurden. Er nimmt ausgestopfte Vögel und Farbdrucke auf und schafft so einige der ersten Farbreproduktionen. Auf der Pariser Weltausstellung 1855 erregt eine Platte mit einer Papageiaufnahme großes Aufsehen.

1852
Don Juan, Graf von Montizón, fotografiert Tiere im Londoner Zoo. Sein Foto des Flusspferds Obaysch klebt in einem Album, das Königin Viktoria überreicht wird. Fotos des Grafen werden erstmals 1854 ausgestellt, und dies ist eine der ersten Fotoausstellungen.

1853
Bisson liefert Illustrationen für die Naturenzyklopädie *Photographie Zoologique*, die erste mit Fotos illustrierte wissenschaftliche Publikation.

1854
Roger Fenton wird erster offizieller Fotograf des British Museum und fotografiert in dieser Eigenschaft dessen Sammlungen. William Bambridge wird von Königin Viktoria zum Hoffotografen ernannt. Neben der Königsfamilie fotografiert er auch deren Haustiere und das Wild in Windsor Park.

1856
John Dillwyn Llewelyn kreiert auf seinem Landsitz in Wales kunstvolle Aufnahmen von Hirschen, Reihern und Fischottern. Weil die Belichtungszeiten für das Fotografieren von Wildtieren zu lang sind, verwendet er ausgestopfte Tiere. William Thompson steckt seine Kamera auf einen mit einem eisernen Dreifuß montierten Holzkasten und versenkt die Konstruktion von seinem Ruderboot aus ins Wasser, um Unterwasseraufnahmen zu machen. Leider sind keine erhalten.

1858
James Chapman reist mit einer Nassplatten-Fotoausrüstung nach Afrika, um Elefanten und Zebras zu fotografieren, kehrt jedoch nur mit Aufnahmen erlegter Tiere zurück.

1860
James Black fotografiert von einem Fesselballon aus, mit dem er Boston überfliegt. Von seinen acht belichteten Platten ist ein guter Abzug erhalten, den er *Boston, wie Adler und Wildgans es sehen* betitelt. Dies ist die älteste erhaltene Luftaufnahme.

1862
Allan Scott fotografiert in Indien. Seine »Stereogramm«-Aufnahmen von Hyderabad und seinen Bewohnern, von einem toten Tiger und einem seltenen Asiatischen Geparden zählen zu den ältesten ihrer Art.

1863
Léon Crémière fotografiert Hunde auf Ausstellungen im Pariser Bois de Boulogne. In der Hoffnung auf scharfe Aufnahmen bindet er die Hunde – und mitunter sogar auch ihre Schwänze – an Bäumen oder an einer sonnenbeschienenen Mauer an.

1865
Frank Haes fotografiert in London Zootiere und fertigt und verkauft frühe stereoskopische Bilder von ihnen. In den folgenden Jahrzehnten lichten zahlreiche Fotografen im Londoner Zoo ihre ersten Wildtiere ab, darunter Thomas Dixon, Frederick Bond und J. E. Saunders, der mit einer Kodak Fotos für Zigarettenbilder schießt.

1866
Harry Pointer fängt in Brighton damit an, seine Katzen in lustigen Posen zu fotografieren. Im März 1872 hat er schon über hundert Katzenbilder und macht immer mehr davon.

1869
Die Bostoner Studiofotografen George Critcherson und John Dunmore begleiten den Maler und Forschungsreisenden William Bradford auf dessen Grönlandexpedition. Ihre Aufnahmen von Eisbergen und Eisbären erscheinen 1873 in dem Werk *The Arctic Regions*. Victor Prout fotografiert in Tasmanien einen Beutelwolf den der in Hobart ansässige Chemiker William Weaver geschossen hat.

1870
Frederick York macht im Londoner Zoo u. a. das letzte bekannte Foto eines Quagga

Louis Ducos du Hauron, Hahn und Sittich, 1872

Napoleon Sarony, »Prominenz-Stereografie«, 1880

Ottomar Anschütz' Elektrotachyskop aus *Scientific American*, 1889

Josef Maria Eder und Eduard Valenta, Röntgenbild einer Äskulapnatter, 1896

Richard und Cherry Kearton, *Wild Life at Home*, 1898

sowie Fotos des berühmten Flusspferds Obaysch und des Afrikanischen Elefanten Jumbo, der später Eigentum des Zirkusbesitzers P. T. Barnum wird. Charles Hewins aus Boston fotografiert in Straßburg einen Weißstorch im Nest – möglicherweise das erste Foto eines Wildtiers in dessen natürlicher Umgebung. Zwar sind die Eisbärenfotos von Critcherson und Dunmore älter, doch hatten die Bären ihre Begegnungen mit den Fotografen nicht überlebt.

1872
Louis Ducos du Hauron experimentiert mit Farbfotografieverfahren. Der Maler und Naturforscher fotografiert zu Hause ausgestopfte Vögel, botanische Präparate und Ausblicke aus dem Fenster. Seine drei einfarbigen Schichten geben übereinandergelegt ein einzelnes, buntes Bild. Er gilt als Pionier der Farbfotografie.

1873
Caleb Newbold fotografiert auf seiner Forschungsreise mit der HMS *Challenger* auf Inaccessible Island in der Antarktis Felsenpinguine.

1876
Eadweard Muybridge fertigt die Fotosequenz eines galoppierenden Pferds, um zu beweisen, dass in einer Galoppphase alle vier Hufe in der Luft sind. Später wendet er dieselbe Technik auf andere Tiere an, darunter auf wild lebende Hirsche. Sie sind deshalb möglicherweise die ersten in beweglichen Bildern eingefangenen Wildtiere.

1880
Die Begeisterung für Stereografien beherrscht die Welt der Fotografie. Die paarweise auf Karten montierten Bilder sind so aufgenommen, dass sie, durch die besonderen Linsen des Stereoskops betrachtet, den Eindruck von Dreidimensionalität vermitteln.

1881
Der französische Zoologieprofessor Étienne-Jules Marey entwickelt ein »fotografisches Gewehr«, mit dem durch eine einzelne Linse schnell sequenzierte Fotos aufgenommen werden können, die Bewegungsabläufe von Tieren festhalten. Sein Ziel: »Das Unsichtbare sehen und die Grenzen unserer Sinne überwinden«.

1882
Ottomar Anschütz entwickelt den »elektrischen Schnellseher« oder Elektrotachyskop, mit dem man eine Sequenz von Fotos auf Glasplatten und später auf Zelluloid gedruckte oder auf Karten montierte Bilder betrachten kann. Gezeigt werden Hunde und Pferde, ein fliegender Storch, eine springende Ziege, ein laufendes Dromedar und ein Mann, der auf einem Elefanten reitet.

1884
Muybridge »filmt« den im Zoo von Philadelphia inszenierten tödlichen Angriff eines Tigers auf einen Büffel – der erste, aber sicherlich nicht letzte manipulierte Wildtierfilm.

1888
Der amerikanische Geschäftsmann George Eastman erfindet den Fotofilm. Endlich brauchen Fotografen keine schweren Platten und Behälter voller Chemikalien mehr mit sich herumzuschleppen. Seine Filmrollen lassen sich einfach und schnell einlegen. Eastmans Kodak-Kamera kommt auf den Markt. Sie ist klein und billig und wird zum Kassenschlager eines breiten Publikums.

1890
Paul Nadar bringt von seiner Reise nach Zentralasien mehrere mit einer Kodak aufgenommene Fotos mit. In Turkestan hatte der Emir von Buchara ihm zu Ehren eine Falkenjagd veranstaltet. Nach jahrzehntelangem Experimentieren können endlich preisgünstige, prä-

zise Aufnahmen angefertigt werden. Das Glasgravurraster ermöglicht die Aufrasterung von Halbtonbildern und damit die massenhafte Veröffentlichung von Abdrucken in Büchern und Zeitschriften.

1892
George Shiras beginnt mit seinen fotografischen Erkundungen am Whitefish Lake in Michigan, USA. Von seinem Kanu aus beleuchtet er aus dem Wald ans Wasser kommendes Wild. Der von Mollusken begeisterte französische Zoologe Louis Boutan fotografiert bei Banyuls-sur-Mer unter Wasser. Seine Ausrüstung dafür ist so schwer, dass sie von drei Männern getragen werden muss.

1895
Max Skladanowsky fotografiert ein boxendes Känguru und dessen Dompteur; möglicherweise ist dies das erste in einem modernen Film gezeigte Tier. Richard und Cherry Kearton veröffentlichen *British Birds' Nests*, das erste ausschließlich mit Fotos illustrierte Buch über Wildtiere. Louis Lumière filmt im Londoner Zoo einen Löwen, der in seinem Käfig herumläuft, während der Pfleger ihm durch das Gitter Fleischbrocken zuwirft.

1896
Einen Monat nach der Entdeckung der Röntgenstrahlen durch Wilhelm Conrad Röntgen veröffentlichen die österreichischen Fotochemiker Josef Maria Eder und Eduard Valenta einen Band mit Fotogravuren des Skelettaufbaus von Tieren und Menschen. Das Publikum ist von diesen noch nie gesehenen Bildern begeistert.

1897
James White filmt im Meer vor San Francisco Seelöwen. Sein Film *The Sea Lion's Home* ist möglicherweise der erste Wildtierfilm, der das natürliche Verhalten von Tieren in ihrem

George Eastmans Kodak-Kamera, Werbeanzeige, 1900

Carl Georg Schillings, *Mit Blitzlicht und Büchse*, 1905

Emma Turner, nistende Rohrdommel, 1911

John Ernest Williamson taucht ab, um unter Wasser zu fotografieren, 1913

natürlichen Lebensraum zeigt. Die Brüder Kearton veröffentlichen ihr Buch *With Nature and a Camera*, in dem sie ihre innovative Methode erläutern, mit der sie Tiere in der Natur fotografieren. Im folgenden Jahr erscheint ihr Handbuch *Wild Life at Home* für angehende Naturfotografen. Neu ist auch die Verwendung des Begriffs *wild life* in Zusammenhang mit Bildern.

1900

Auf seiner Ostafrikaexpedition fotografiert Carl Georg Schillings erstmals Wildtiere mit Blitzlicht. Die Fotos veröffentlicht er in seinem Buch *Mit Blitzlicht und Büchse* (1905). Angeblich hängen daraufhin viele Jäger ihre Gewehre an den Nagel und gehen stattdessen mit Kameras auf die Pirsch. Ethisch fragwürdig erscheint, dass Schillings einen angebundenen Esel als Köder für die Löwen verwendete. Die nur einen Dollar kostende Kodak-Kastenkamera *Brownie* kommt auf den Markt und findet weltweit reißenden Absatz.

1901

Allen und Augusta Wallihan sind die ersten Eheleute, die gemeinsam schreiben und im Feld fotografieren. Theodore Roosevelt verfasst das Vorwort zu ihrem Buch *Camera Shots at Big Game*. James Ricalton bereist Indien und China und fotografiert Stereografien für den Verlag Underwood & Underwood.

1906

Die sehenswerten Aufnahmen von George Shiras werden endlich in *National Geographic* veröffentlicht. Darüber, ob in dieser traditionsreichen Zeitung Bilder abgedruckt werden sollen, wird heiß diskutiert. Einigen Vorstandsmitgliedern geht es sehr gegen den Strich, diese hoch angesehene Zeitschrift in ein »Bilderbuch« zu verwandeln.

1907

Autochrom, das älteste Verfahren, um mit einer einzigen Aufnahme ein Farbfoto zu erzielen, kommt auf den Markt. Die zerbrechlichen Glasplatten werden in Frankreich von den Brüdern Lumière hergestellt. Die Firma Pathé Frères filmt in Indien Elefanten. Dem Schweizer Arzt Adam David gelingen in Afrika die vielleicht frühesten Filmaufnahmen sich bewegender Wildtiere. Stephen Leeks filmt in Jackson Hole, Wyoming, die Wanderungen von Wapitihirschen und nutzt diese Filme später, um »die Öffentlichkeit auf die Probleme der Wapitihirsche« mit Raubtieren wie Wölfen aufmerksam zu machen.

1908

Georg G. F. Schulz bringt die Buchreihe *Natur-Urkunden* heraus, »für alle bestimmt, die in unserer Zeit noch etwas in ihrem Herzen übrig haben für die Natur«. Die Oklahoma Natural Mutoscope Company veröffentlicht den Film *The Wolf Hunt*, in dem Männer, darunter der bekannte Jäger Jack Abernathy, zu Pferd Wölfe und Kojoten jagen. Zu dem Dreh angeregt hatte Theodore Roosevelt, der in Oklahoma gesehen hatte, wie Abernathy Kojoten mit bloßen Händen fing.

1909

Robert Peary nimmt seine Kameras mit zum Nordpol und schreibt das Werbe-Handbuch *The Kodak at the North Pole*. Douglas English beginnt seine Serie »One Hundred Photographs from Life« mit einem Buch über Mäuse und einem weiteren von Reginald Lodge über britische Vogelarten. Cherry Kearton bricht zusammen mit James Clark vom American Museum of Natural History zu seiner ersten Afrikasafari auf. In Kenia stoßen sie zu Roosevelt und seiner Jagdgesellschaft. Kearton filmt u. a. Flusspferde. Otis Turner nutzt die Safaribegeisterung und

zeigt in seinem Film *Hunting Big Game in Africa* die in Chicago inszenierte Erschießung eines Löwen durch einen Schauspieler, der Roosevelt ähnlich sieht.

1911

John Hemment gelingen die womöglich ersten Luftaufnahmen von Wildtieren, indem er einen »panischen« Schwarm von Wildenten fotografiert. Er hatte mit dem Fotografieren angefangen, um Streitfälle bei Pferderennen zu schlichten, und wird zum Erfinder des Zielfotos. Emma Turners Aufnahme einer nistenden Rohrdommel in Norfolk ist der erste Nachweis der Rückkehr dieser Vögel nach Großbritannien, nachdem sie dort im 19. Jahrhundert ausgestorben waren. Die Royal Society for the Protection of Birds kämpft für ein Verbot des Handels mit Wildvogelfedern, indem sie in Bahnhöfen Plakate aufhängt und eine mobile Ausstellung von Arthur Mattingleys Reiherfotos durch London trägt.

1912

Die unerschrockene Helen Messinger Murdoch fotografiert auf ihrer Weltreise mit Autochrom. Sie ist eine der ersten Frauen, die eine solche Reise unternehmen, und erzählt nach ihrer Rückkehr in Vorträgen von ihren Erlebnissen.

1913

John Ernest Williamson macht in zehn Meter Tiefe Unterwasserfotos, die in der Zeitschrift *Scientific American* unter der Überschrift »Submarine Photography – A New Art« erscheinen. David Fairchild veröffentlicht seine unglaublichen Makroaufnahmen von Insekten und Spinnen in *National Geographic* und später in seinem Werk *Book of Monsters*.

1914

Frank Hurley filmt als Mitglied von Douglas Mawsons Expedition in der Antarktis. Seine

Frederick Champion,
Tiger im Blitzlicht, 1925

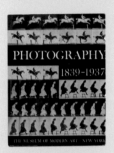

Ausstellungskatalog *Photography 1839-1937*, 1937

Camilla Koffler,
U.S. Camera, 1940

David Attenborough,
Zoo Quest, 1961

Aufnahmen werden in Mawsons Buch *Home of the Blizzard* abgedruckt und bei Vorträgen gezeigt. Außerdem werden sie für eine Kampagne gegen den Handel mit Pinguinöl verwendet. Wolfgang Köhlers Film *Intelligenzprüfungen an Menschenaffen* zeigt Schimpansen dabei, wie sie Probleme lösen. Köhlers weitere Forschungen stellen einen Wendepunkt in der Psychologie des Denkens dar. John Ernest Williamson und sein Bruder George drehen bei den Bahamas den frühen Unterwasserfilm *Terrors of the Deep*, bei dem sie ein totes Pferd als Haiköder einsetzen. Aus dem Material entsteht ein weiterer Film: *Thirty Leagues Under the Sea*.

1916
Carl Akeley lässt seine Akeley-Kamera patentieren, nachdem er während seiner Filmarbeiten in Afrika mit seinem Urban Bioscope unzufrieden war. 1921 filmt Akeley für das American Museum of Natural History Gorillas in den Virunga-Bergen. Es sind die allerersten Aufnahmen von frei lebenden Gorillas.

1925
Die Firma Leitz bringt die Leica auf den Markt, die leicht und kompakt ist und sich mit ihren kurzen Verschlusszeiten hervorragend für Außenaufnahmen eignet. Arthur Dugmore reist mit einer Filmkamera nach Afrika und filmt im Ngorongoro-Krater u. a. einen angreifenden Elefanten, ohne ihn zu töten. In Nordindien gelingen Frederick Champion bemerkenswerte Nachtaufnahmen, darunter allererste Fotos von wild lebenden Tigern, Leoparden und Lippenbären. Er inspiriert viele Jäger, ihre Waffen abzulegen und von nun an zu fotografieren, anstatt zu schießen – darunter auch seinen Freund Jim Corbett. Champion und Corbett tragen maßgeblich zur Gründung von Indiens erstem Schutzgebiet 1936 bei, dem Corbett-Nationalpark.

1926
William Longley und Charles Martin fotografieren in den Gewässern vor Dry Tortugas, Florida, einen Eber-Lippfisch, der damit zum ersten Tier wird, das in Farbe unter Wasser aufgenommen wurde.

1930
35-mm-Kameras wie die Leica sind mittlerweile sehr beliebt und werden für Fotos von Haustieren und Wildvögeln ebenso verwendet wie für Aufnahmen beim Jagen oder Skifahren. Filme der Serie *Secrets of Nature* wie »Bathtime at the Zoo« und »Sweet Peas« sind mittlerweile vertont. Kodak bringt den 16-mm-Filmprojektor Kodatoy heraus. Angeboten werden verschiedene Filme, darunter »spannende Dschungelabenteuer«, Kurzfilme von Charlie Chaplin und Zeichentrickfilme mit Felix der Kater oder Micky Maus.

1931
Ernest Schoedsack dreht für Paramount den Film *Rango* über einen verwaisten Orang-Utan. Ebenso wie moderne Wildtierfilme enthält er Drehbuchszenen und Begleitkommentare. In Filmen der großen Hollywoodstudios werden viele gefilmte Tierszenen eingesetzt, sowohl inszenierte als auch echte Dokumentaraufnahmen.

1935
Der Ornithologe Arthur Allen von der Cornell University macht die einzigen bekannten Filmaufnahmen des mittlerweile ausgestorbenen Elfenbeinspechts.

1936
LIFE erfindet sich neu, wird als erste US-Zeitschrift ein reines Fotomagazin und bleibt von nun an jahrzehntelang marktführend.

1937
Eröffnung der ersten Fotoausstellung des MoMA. »Photography 1839-1937« ist gleichzeitig die bisher umfassendste Fotoausstellung der USA. Zu den Highlights zählen einige Tieraufnahmen: Muybridges Bewegungsstudien von springenden Pferden und laufenden Hirschen, Röntgenaufnahmen von Fischen und Schlangen von Eder und Valenta und Camilla »Ylla« Kofflers Rolleiflex-Foto eines Flusspferdmauls.

1940
Yllas Arbeiten werden in der Zeitschrift *U. S. Camera* abgedruckt. Ein vom MoMA finanziertes Visum ermöglicht ihr die Emigration in die USA. 1932 hatte sie in Paris ein Atelier für Haustierporträts eröffnet, nun wird sie zu einer führenden Tierfotografin ihrer Generation.

1950
Fernsehgeräte halten weltweit Einzug in die Wohnzimmer. Fotos und Filme sind so beliebt wie nie zuvor. Tierschutzorganisationen setzen bei ihren Kampagnen vermehrt Filme ein.

1951
Jacques Cousteau beginnt seine Reporterkarriere und lässt mit Mitteln der französischen Marine und des französischen Bildungsministeriums sein Schiff *Calypso* ausrüsten. Hans Hass wird für seinen abendfüllenden Dokumentarfilm *Abenteuer im Roten Meer* in Venedig ausgezeichnet. Ein Kurzfilm von Walt Disney, *Erde, die große Unbekannte*, erhält einen Oscar.

1954
David Attenborough bricht gemeinsam mit den Zoologen Jack Lester und Alfred Woods und dem Kameramann Charles Lagus nach Sierra Leone auf, um für eine Fernsehserie über das Einfangen von Tieren für den Londoner Zoo zu berichten. Am 21. Dezember tritt er mit *Zoo Quest* erstmals im TV auf. Für eine zweite Serie reist er mit seinem Team nach Borneo und nimmt an der Suche nach dem Komodowaran teil.

Comicbuch zum Film
White Wilderness, 1958

Jacques Cousteaus »tauchende Untertasse«, 1959

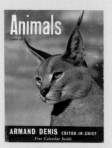

Erste Ausgabe von
Armand Denis' Zeitschrift
Animals, 1963

Jane Goodall und Hugo
van Lawick beobachten
Schimpansen, 1965

1957
Russell Kirsch scannt für seinen Sohn eine Aufnahme aus einem Film in einen Computer ein und fertigt damit das erste digitale Foto an. Das kleine quadratische Bild hat eine Auflösung von 176 x 176 Pixel. Die Zeitschrift *LIFE* wird es später zu »einem der 100 Fotos, die die Welt änderten« erklären. 20 Jahre später wird Kodak die erste Digitalkamera entwickeln, aber erst in den 1990er Jahren kann die Qualität digitaler Bilder mit der von Bildern auf Film mithalten.

1958
Disneys Arktisfilm *Weiße Wildnis* mit der bekannten und, wie wir heute wissen, gefälschten Lemmingsequenz wird mit dem Oscar für den besten Dokumentarfilm ausgezeichnet.

1960
Cousteau filmt nach wie vor die Unterwasserwelt. Gemeinsam mit Jean de Wouters entwickelt er die erste tauchfähige »amphibische« 35-mm-Kamera. Nikon erwirbt die Rechte am wasserfesten Gehäuse und bringt 1963 die erfolgreiche Nikonos auf den Markt.

1963
Der belgische Filmemacher Armand Denis lanciert die mit ausgezeichneten Tierfotos illustrierte Zeitschrift *Animals*, die 20 Jahre später in *BBC Wildlife* umbenannt wird. Frühe Ausgaben enthalten Auszüge aus Rachel Carsons Buch *Der stumme Frühling*, das erstmals die Auswirkungen von Pestiziden auf die Natur anprangert. *National Geographic* berichtet über Jane Goodalls Arbeit mit Schimpansen in Tansania. Ein Foto der Schimpansen beobachtenden Goodall wird später von der NASA zusammen mit anderen Informationen über die Menschheit auf eine Datenplatte aufgenommen und 1977 an Bord einer Voyager-Raumsonde ins All hinausgeschickt.

1965
Die Zeitschrift *Animals* ruft den Wettbewerb Wildlife Photographer of the Year ins Leben, für den sich im ersten Jahr rund 300 Fotografen anmelden. David Attenborough gratuliert dem Sieger Roger Dowdeswell persönlich, dessen Foto einen Waldkauz zeigt, der seinen Jungen Beute bringt.

1967
The World About Us, die erste Wildtier-Dokumentarfilmserie in Farbe, wird in Großbritannien auf BBC2 ausgestrahlt. In der ersten Folge geht es um den Alltag von Eisvögeln. In New York fotografiert Garry Winogrand Tiere in den Zoos im Central Park und in der Bronx. Später veröffentlicht er vier Bücher, darunter 1969 *The Animals*. Er arbeitet mit einer handlichen kleinen 35-mm-Kamera, die ein schnelles Fotografieren ermöglicht. Als er 1984 stirbt, hinterlässt er mehr als 2500 unentwickelte Filmrollen.

1972
Bill Masons Film *Cry of the Wild* lockt in Nordamerika Unmengen von Besuchern in die Kinos. Masons Arbeiten tragen wesentlich zur Verbesserung des Ansehens der Wölfe bei, die ihm zufolge »eher Opfer als Mörder« sind. Cousteau arbeitet an der umfangreichen, reich bebilderten Meeresenzyklopädie *Ocean World*, die in den folgenden Jahren in 21 Bänden erscheint.

1975
Masahisa Fukase beginnt seine Serie *Ravens* mit einem Schnappschuss auf seiner Heimatinsel Hokkaido. Beinahe zehn Jahre lang porträtiert er Raben auf beeindruckenden und melancholischen Fotos.

1979
Attenborough stellt die berühmte, 13-teilige Serie *Life on Earth* vor. Sie hat international großen Erfolg; 1984 folgt *The Living Planet* (dt.: *Die Erde lebt*), 1990 *The Trials of Life* (dt.: *Spiele des Lebens*).

1980
George Schaller darf mit einer Sondergenehmigung der chinesischen Regierung als erster Ausländer gemeinsam mit einem Forschungsteam in den Bergen von Szechuan wild lebende Pandas beobachten. Unterstützt wird das Projekt durch den WWF, der seit seiner Gründung 1961 einen Panda als Logo verwendet. Schallers Erkenntnisse und Fotos werden im Dezember 1981 in *National Geographic* veröffentlicht, sein später erscheinendes Buch *The Last Panda* (dt.: *Der letzte Panda*, 1995) wird ein Bestseller.

1981
Canon beginnt mit seiner Werbeserie »Wildlife as Canon Sees It« in *National Geographic*: Auf jeder ganzseitigen Anzeige wird von einer gefährdeten Art berichtet. Die Kampagne wird bis Dezember 2020 fortgesetzt und stellt insgesamt etwa 466 Arten vor.

1989
Im Internet werden Millionen von Bildern einfach nur durch einen Tastenklick zugänglich.

1992
Der erste E-Mail-Anhang wird versendet: das Foto von vier Männern, die ein A-capella-Quartett bilden. Nathaniel Borenstein entwickelte den dazu notwendigen Code, weil er davon träumt, eines Tages Bilder seiner Enkelkinder auf diese Weise zu erhalten.

2000
Sharp bringt das erste Kamerahandy auf den Markt: Sharp J-SH04, das Millionen japanischer Teenager kaufen. Samsung präsentiert das SCH-V2000 mit einer eingebauten Kamera, die 20 Fotos mit einer Auflösung von 0,35 Megapixel aufnehmen kann. In den USA lanciert Sanyo ein klobiges

Richard macht die ersten Unterwasseraufnahmen für Google Maps, 2012

Quadrokopter Phantom 4 von DJI, 2016

Relicanthus sp., eine in der Clarin-Clipperton-Bruchzone neu entdeckte Art, 2016

Klapphandy, das mit Blitzlicht und einfachem Zoom ausgestattet ist.

2003

Weltweit wurden bereits über 80 Millionen Kamerahandys verkauft. Das erste jemals auf YouTube gepostete Video ist ein kurzer Clip des YouTube-Mitgründers Jawed Karim, der die Elefanten im Zoo von San Diego besucht.

2007

Nachdem Netflix eine Milliarde DVDs verschickt hat, wendet sich die Firma einem neuen Geschäftsmodell zu: dem Streamen. 2019 gibt Netflix seine erste Serie von Naturfilmen heraus, *Our Planet*, mit David Attenborough als Kommentator. Bis 2021 wird die Serie in über 100 Millionen Haushalten gesehen.

2010

Obwohl Apple sein erstes iPhone bereits 2007 auf den Markt gebracht hat, ist es das iPhone 4, das die Revolution herbeiführt: Das erste Smartphone mit Frontkamera. Überall auf der Welt werden Selfies geschossen, mit Smartphones und Tablets werden Millionen von Bildern aufgenommen und geteilt. Der Gründer des späteren Instagram macht in Mexiko bei einem Taco-Stand ein Foto und postet es mit dem Begleittext: »Test«. Es ist das Foto eines Hundes.

2012

In Google Maps sind die ersten panoramischen Unterwasserbilder zu sehen. Google beginnt eine Partnerschaft mit Catlin Seaview Survey, die den Zustand der Korallenriffe überprüft.

2013

Der Drohnenhersteller DJI lanciert Phantom. Die ersten mit Kameras ausgestatteten Drohnen kommen auf den Markt. 360Heroes stellt die Taucherversion seines Systems für 360-Grad-Videos vor. Bald werden Drohnen zu einem nützlichen Hilfsmittel für Filmemacher und die Beobachtung von Wildtieren. Die Geräte werden in schwer zu erreichbaren Regionen eingesetzt. *National Geographic* feiert seinen 125. Geburtstag mit einer besonderen Foto-Ausgabe. Chefredakteurin Susan Goldberg schwärmt: »Keine andere Zeitschrift bot ihren Lesern derartige Reisen – in die Vergangenheit der Menschheit, in die Köpfe von Tieren, in die tiefste Tiefsee und bis an die Grenzen des Universums. Unsere Fotografen, Autoren, Künstler und Redakteure werden weiter Geschichten erzählen und unsere globale Zukunft erkunden.«

2016

In der Clarion-Clipperton-Zone im Pazifischen Ozean, eine in 5000 Metern Tiefe gelegene Bruchzone vor Hawaii, werden mit ferngesteuerten Kameras bisher unbekannte Tierarten fotografiert.

2018

Satellitenaufnahmen verhelfen Forschenden zu neuen Erkenntnissen über Tierpopulationen: Aus dem All sichtbare Guanoflecken verraten die Standorte noch unentdeckter Pinguinkolonien, während Fotos mit hoher Auflösung von Walen über starke Walvorkommen in abgelegenen Meeresregionen informieren.

2021

Die Suche nach außerirdischem Leben geht weiter. Der 1,8 Kilogramm leichte Mars-Helikopter Ingenuity soll herausfinden, ob es jemals Leben auf dem Mars gab.

HEUTE

Schätzungsweise entstehen täglich 4,7 Milliarden Fotos: das sind 54 000 pro Sekunde und 1,72 Billionen im Jahr. Hoch entwickelte Digitalkameras und die sozialen Netzwerke geben Fotografen aller Niveaus die Möglichkeit, ihre Fotos für den Tier- und Artenschutz einzusetzen. Doch die meisten Leute begnügen sich damit, ihre Haustiere zu fotografieren. Berechnungen zufolge werden tagtäglich über drei Milliarden solcher Bilder und mehr als 720 000 Stunden Videos über das Internet geteilt. Das sind sehr, sehr viele Katzen und Hunde!

(*Rechts*) Tim Flach im Panda-Kontrollraum des National Zoo in Washington, fotografiert für die Zeitschrift *Smithsonian*, 2014 (*Rechte* Seite) Bob Wallace, das Nilpferd Lotus, Kalifornien, 1937

Literaturliste

VON DEN KINDERTAGEN der Kamera an und bis in unser verwirrendes digitales Zeitalter hinein standen und stehen Tiere immer wieder im Mittelpunkt. Es gab technische Evolutionen und Revolutionen, und noch heute gehen Fotograf:innen mindestens bis an die Grenzen des Möglichen. Obwohl Tiere in so vielen Büchern stecken, wird die Wildtierfotografie als Genre kaum jemals in kunsthistorischen Betrachtungen der Fotografie berücksichtigt, und erst seit Kurzem gilt die Tierfotografie überhaupt als Kunstform.

Dieses Buch versteht sich als Abhandlung über die Geschichte und Zukunft der Tierfotografie, als eine Sequenz von Bildern und Einsichten, die uns dazu ermutigen, über unseren Umgang mit Tieren und unsere Beziehung zur Natur nachzudenken. Ich habe Fotos recherchiert, um besser verstehen zu können, warum Menschen zu verschiedenen Zeitpunkten der Geschichte Tiere fotografiert haben, und um herauszufinden, welche Bedeutung das Fotografieren von Tieren in einer sich schnell wandelnden Welt hat.

Dieses Buch versteht sich nicht als konventionelle Chronik der Tierfotografie, denn dafür eignen sich Bildbände mit den Siegerfotos von Wettbewerben wesentlich besser. Stattdessen ist dieses Buch eine Abhandlung über das Tier in der Fotografie. Es spricht unseren Wunsch an, Tiere anzuschauen, sie zu benutzen und zu missbrauchen, sie zu schätzen und zu schützen, und die Rolle, die die Fotografie dabei spielt. Als ein von technischen Errungenschaften und Kreativität vorangetriebenes Medium verändert sich die Fotografie ständig ebenso wie ihre gesellschaftlichen Funktionen. Ich habe versucht, hier eine Kombination aus berühmten und wichtigen Arbeiten einerseits und kleinen Kostbarkeiten andererseits zusammenzustellen. Weiterführende Lektüre bieten die rund 30 Bücher, die ich hier aufliste:

Robert Adams, *Why People Photograph* (New York: Aperture, 2004)

Yann Arthus-Bertrand und Brian Skerry, *Der Mensch und die Weltmeere* (München: Knesebeck, 2013)

Gerry Badger, *The Genius of Photography* (London: Quadrille, 2014)

Jean-Christophe Bailly, *George Shiras* (Paris: Xavier Barral, 2015)

Steve Baker, *Picturing the Beast* (Urbana: University of Illinois Press, 2001)

James Balog, *Survivors* (New York: Abrams, 1990)

John Berger, *About Looking* (New York: Pantheon, 1980)

Richard Bernabe, *Wildlife Photography* (London: Ilex, 2018)

John Bevis, *The Keartons* (Axminster: Uniformbooks, 2016)

Derek Bousé, *Wildlife Films* (Philadelphia: University of Pennsylvania Press, 2000)

John Bradshaw, *The Animals Among Us* (London: Allen Lane, 2017)

Nick Brandt, *Inherit the Dust* (New York: DAP, 2016)

Matthew Brower, *Developing Animals* (Minneapolis: University of Minnesota Press, 2011)

Jonathan Burt, *Animals in Film* (London: Reaktion, 2002)

Henry Carroll, *Animals* (New York: Abrams, 2021)

Graham Clarke, *The Photograph* (Oxford University Press, 1997)

Mark Cousins, *The Story of Looking* (Edinburgh: Canongate, 2017)

Margo DeMello, *Animals and Society* (New York: Columbia University Press, 2012)

David Doubilet, *Water Light Time* (London: Phaidon, 1999)

Tim Flach, *In Gefahr* (München: Knesebeck, 2017)

Jean-Marie Ghislain, *Shark* (London: Thames & Hudson, 2014)

Stephen Gill, *The Pillar* (Skåne: Nobody, 2019)

Charles Guggisberg, *Early Wildlife Photographers* (Exeter: David & Charles, 1977)

Donna Haraway, *When Species Meet* (Minneapolis: University of Minnesota Press, 2007)

Melissa Harris, *A Wild Life* (New York: Aperture, 2017)

Marvin Heiferman, *Photography Changes Everything* (New York: Aperture, 2012)

Hal Herzog, *Wir streicheln und wir essen sie* (München: Hanser, 2012)

Eric Hosking, *Classic Birds* (London: HarperCollins, 1993)

Rosamund Kidman Cox, *50 Jahre Wildlife-Fotografien des Jahres* (München: Knesebeck, 2014)

Frans Lanting, *Into Africa: Der Zauber eines einzigartigen Kontinents* (München: Knesebeck, 2017)

Philip Lymbery, *Dead Zone* (London: Bloomsbury, 2018)

John Mitchell, *The Wildlife Photographs* (Washington: National Geographic, 2001)

Gregg Mitman, *Reel Nature* (Seattle: University of Washington Press, 1999)

Paul Nicklen, *Born to Ice* (Kempen: teNeues, 2018)

Gemma Padley, *Into the Wild* (London: Laurence King, 2021)

Richard Peters, *Wildlife Photography at Home* (London: Ilex, 2019)

Peter Pickford und Beverly Pickford, *Wild Land* (London: Thames & Hudson, 2018)

Nigel Rothfels, *Representing Animals* (Bloomington: Indiana University Press, 2002)

Sebastião Salgado, *Genesis* (Köln: Taschen, 2013)

Joel Sartore, *Photo Ark Wunder: Die einzigartige Vielfalt des Tierreichs* (München: NG Buchverlag, 2022)

Stephen Shore, *The Nature of Photographs* (London: Phaidon, 2010)

Kelley Wilder, *Photography and Science* (London: Reaktion, 2008)

Art Wolfe, *Eden* (Hamburg: NG Malik Buchgesellschaft, 2015)

Oh, das sind ja gar nicht 30 Bücher, sondern 43! Es ist immer schwer, eine Auswahl zu treffen, und bei umfangreichen Projekten wie diesem erscheint es beinahe unmöglich, denn es gibt noch so unendlich viele weitere Bücher, die es verdient hätten, erwähnt zu werden. Eine spannende Recherche könnte auch darin bestehen, all unsere Beitragenden in den sozialen Netzwerken zu besuchen; ihre Liste finden Sie auf der folgenden Seite. Viele von ihnen haben Bücher veröffentlicht, und ihre Fotos werden in Printmedien abgedruckt. Viel Spaß also bei der Suche! Bleiben Sie stets nach allen Seiten hin offen und vergessen Sie nie, die Kamera mitzunehmen – oder was auch immer Ihren Zwecken dient. Sie brauchen Erfahrung im Umgang mit der Natur, Geduld, Mut, Zähigkeit, Fantasie, eine gute wasserfeste Jacke und eine Thermoskanne für den heißen Tee. Schießen Sie Bilder, die Ihnen wichtig sind, und nehmen Sie Ihre Arbeit ernst, selbst dann, wenn sie Ihnen Spaß macht. »Wir reden oft darüber, den Planeten zu retten, tatsächlich aber müssen wir all das tun, um uns selbst zu retten. Die Wildnis wird wiederkommen, mit oder ohne unsere Hilfe«, sagt David Attenborough. Oder, wie Alec Soth einmal meinte: »Wenn es Ihr innigster Herzenswunsch ist, Kätzchen zu fotografieren, dann fotografieren Sie eben Kätzchen.«

Beitragende

Ingo Arndt
w: ingoarndt.com

Levon Biss
IG: @levonbiss

Xavi Bou
IG: @xavibou

John Bozinov
IG: @johnbozinov

Will Burrard-Lucas
IG: @willbl

Stefan Christmann
IG: @christmannphoto

Tim Flach
IG: @timflachphotography

Daisy Gilardini
IG: @daisygilardini

Sergey Gorshkov
IG: @sergey_gorshkov_photographer

Melissa Groo
IG: @melissagroo

Karim Iliya
IG: @karimiliya

Britta Jaschinski
IG: britta.jaschinski.photography

Leila Jeffreys
IG: @leilajeffreys

Kate Kirkwood
IG: @k8kirkwood

Tim Laman
IG: @timlaman

Florian Ledoux
IG: @florian_ledoux_photographer

Dina Litovsky
IG: @dina_litovsky

Jo-Anne McArthur
IG: @weanimals

Daniel Naudé
IG: @daniel_naude

Jim Naughten
IG: @jimnaughten

Anuar Patjane
IG: @anuarpatjane

Mateusz Piesiak
IG: @mpwildlife

Alicia Rius
IG: @aliciariusphoto

Claire Rosen
IG: @claire__rosen

Marcin Ryczek
IG: @marcinryczek_photography

Traer Scott
IG: @traer_scott

Alexander Semenov
IG: @narwhal_season

Anup Shah
w: anupshah.com

Nichole Sobecki
IG: @nicholesobecki

Paul Souders
IG: @paul.souders

Georgina Steytler
IG: @georgina_steytler

Marsel van Oosten
IG: @marselvanoosten

Staffan Widstrand
IG: @staffanwidstrand

Shannon Wild
IG: @shannon__wild

Steve Winter
IG: @stevewinterphoto

Kiliii Yuyan
IG: @kiliiiyuyan

Zitatquellen

Seite 7 »Ich mag Hunde …«, Elliott Erwitt, zitiert nach *Dogs, Dogs* (London: Phaidon, 1998); »die Allgegenwart der Fotografien …«, Jeffrey Fraenkel, *Long Story Short* (San Francisco: Fraenkel Gallery, 2019); »Die Natur malt …«, John Ruskin, *The True and the Beautiful in Nature* (New York: John Wiley, 1860). Seite 10 »Die Wahrheit ist …«, Robert Capa, Interview, *World-Telegram*, 2. September 1937; »Die Leute schießen …«, John Szarkowski, zitiert nach *The Photographer's Eye* (New York: The Museum of Modern Art, 2007); »Schönheit kann …«, Richard Misrach, Interview, *Violent Legacies* (Manchester: Cornerhouse, 1992). Seite 12 »Niemand wird …«, David Attenborough, Interview, *Ecologist*, 4. April 2013. Seite 17 »Wenn wir den Globus …«, John Muir, *Travels in Alaska* (Boston: Houghton Mifflin, 1915). Seite 18 »Kein Mensch hat …«, Michael Faraday, »The New Art«, *The Literary Gazette* (2. Februar 1839). Seite 26 »In diesem Augenblick …«, William Bradford, *The Arctic Regions* (London: Sampson Low, 1873). Seite 29 »Jetzt hat jedes Kind …«, Alvin Langdon Coburn, »The Future of Pictorial Photography«, *Photograms of the Year* (London: Hazell, Watson & Viney, 1916). Seite 29 »Der Fotograf ist …«, George Bernard Shaw, zitiert nach Helmut Gernsheim, *A Concise History of Photography (*London: Thames & Hudson, 1965*)*. Seite 30 »Die kleinen architektonischen …«, Elizabeth Eastlake, »Photography«, *Quarterly Review* (April 1857). Seite 106 »Manche lieben wir …«, Hal Herzog, *Why It's So Hard to Think Straight About Animals* (London: HarperCollins, 2010). Seite 119 »Denn in allem Natürlichen …«, Aristoteles, *De Partibus Animalium*, Übers. Paul Gohlke, *Über die Glieder der Geschöpfe* (Paderborn: Schöningh, 1959); »Eine Prozession …«, Marcel Ravidat, zitiert nach *History Today*, 9. September 2015; »Eine große Herausforderung …«, Ralph Morse, »Cave Paintings«, *LIFE*, 24. Februar 1947. Seite 123 »Wissen ist keine …«, Sylvia Earle, *The World is Blue* (Washington: National Geographic, 2009); »Ich wollte diese wunderbaren …«, Nina Leen, »Discovering the Beauty of Bats«, *LIFE*, 29. März 1968. »Ich bin nicht die Art …«, David Attenborough, Interview, *Metro*, 29. Januar 2013. Seite 124 »Die Leute müssen merken …«, David Attenborough, *A Life on our Planet* (London: Ebury, 2020). Seite 125 »Es fühlte sich an …«, Ami Vitale, Interview, *National Geographic*, Oktober 2019. Seite 126 »Dieses Bild …«, Paul Nicklen, »N.G. Live!«, *National Geographic*, März 2014. Seite 315 »Ich behaupte nicht …«, William Henry Fox Talbot, »The New Art«, *The Literary Gazette* (2. Februar 1839); »Selbst die besten Argumente …«, Richard Powers, *The Overstory* (New York: Random House, 2019); »Künstler müssen …«, Ben Okri, »Opinion«, *The Guardian*, 12. November 2021; »Zoos, realistisches Spielzeug …«, John Berger, »Why Look at Animals«, *About Looking* (New York: Pantheon, 1980); »Was ist letztlich die Natur …«, William Henry Fox Talbot, Brief an den Herausgeber der *Literary Gazette*, veröffentlicht in »The New Art«, *Literary Gazette* (2. Februar 1839) und »The Pencil of Nature«, *Blackwood's Edinburgh Magazine* (März 1839) und *Corsair* (13. April 1839). Seite 316 »Weil ich es mag …«, Jean-Louis Etienne, in Huw Lewis-Jones und Kari Herbert, *In Search of the South Pole* (London: Conway, 2011); »Das beste Gegengift …«, Chase Jarvis, *Creative Calling* (New York: HarperBusiness, 2019); »Anleitung für das Leben …«, Mary Oliver, »Sometimes«, *Red Bird* (Boston: Beacon Press, 2008). Seite 317 »Die meisten Tiere …« und »Das ist jetzt mein Leben …«, Interviews mit dem Autor. Seite 329 »Wir reden oft …«, David Attenborough, *A Life on our Planet* (London: Ebury, 2020); »Wenn es Ihr innigster …«, Alec Soth, zuerst erwähnt in einem Magnum Photos Blogbeitrag, ebenso *Wear Good Shoes* (Paris: Magnum Photos, 2019).

Bildnachweis

Vorsatz, Reihe 1 The J. Paul Getty Museum, Los Angeles; Library of Congress Prints & Photographs Division, Washington D. C.; The J. Paul Getty Museum, Los Angeles; National Galleries of Scotland; **Reihe 2** National Galleries of Scotland; Smithsonian Institution, Washington D. C.; The J. Paul Getty Museum, Los Angeles; **Reihe 3** The J. Paul Getty Museum, Los Angeles; Library of Congress Prints & Photographs Division, Washington D. C.; Library of Congress Prints & Photographs Division, Washington D. C.; The J. Paul Getty Museum, Los Angeles; **Reihe 4** New York Public Library; National Galleries of Scotland; New York Public Library; **gegenüber Titelseite, Reihe 1** National Galleries of Scotland; The J. Paul Getty Museum, Los Angeles; The J. Paul Getty Museum, Los Angeles; **Reihe 2** Library of Congress Prints & Photographs Division, Washington D. C.; **Reihe 3** The J. Paul Getty Museum, Los Angeles; New York Public Library; **Reihe 4** New York Public Library; Library of Congress Prints & Photographs Division, Washington D. C.; **2-3** © Daisy Gilardini; **4** Lay Auctioneers/BNPS; **6** Private Collection; **8** The J. Paul Getty Museum, Los Angeles; **9** © Daniel Szalai; **10** Roxana Dulama/Caters News; **11** Ellis Collection of Kodakiana/Duke University Library; **12** John Downer Productions; **13** V&A Images/Getty Images; **14-15** © Adam Oswell/We Animals Media; **16** Metropolitan Museum of Art, New York; **18** The Picture Art Collection/Alamy Stock Photo; **19** Metropolitan Museum of Art, New York; **20ol** The Nelson-Atkins Museum of Art, Kansas City, Missouri. Gift of the Hall Family Foundation, 2010.72.2. Image courtesy Nelson-Atkins Media Services; **20or** Privatsammlung; **20ul** The Nelson-Atkins Museum of Art, Kansas City, Missouri. Gift of the Hall Family Foundation, 2005.37.10. Image courtesy Nelson-Atkins Media Services; **21o** The Nelson-Atkins Museum of Art, Kansas City, Missouri. Gift of Hallmark Cards, Inc., 2005.27.37. Image courtesy Nelson-Atkins Media Services; **21ul** The J. Paul Getty Museum, Los Angeles; **21ur** The Nelson-Atkins Museum of Art, Kansas City, Missouri. Gift of Hallmark Cards, Inc., 2005.27.77. Image courtesy Nelson-Atkins Media Services; **22o** The Picture Art Collection/Alamy Stock Photo; **22u** Metropolitan Museum of Art, New York; **23** National Museum Wales; **24o** Royal Collection Trust/© His Majesty King Charles III 2023; **24u & 25o** The J. Paul Getty Museum, Los Angeles; **25u** Reginald Lodge; **26** British Library, London; **27** Mary Evans Picture Library; **28** National Science and Media Museum, Bradford; **29o** Privatsammlung; **29u** World History Archive/Alamy Stock Photo; **30** Metropolitan Museum of Art, New York; **31o** Martin and Osa Johnson Safari Museum, Chanute, KS; **31u** Charles Martin; **33** State Library of New South Wales, Sydney; **34-35** © Zoological Society of London/Bridgeman Images; **37, 38-39, 40-41** © Florian Ledoux; **43, 44, 45, 46-47** © Ingo Arndt; **49, 50, 51** © Traer Scott; **53, 54, 55, 56-57** © Kate Kirkwood; **59, 60, 61, 62-63** © Jo-Anne McArthur; **64, 66, 68-69, 70, 71-72** © Jim Naughten; **75, 76, 77, 78, 79** © Daniel Naudé; **81, 82-83, 84-85** © Georgina Steytler; **87, 88-89, 90-91** © Mateusz Piesiak, www.mateuszpiesiak.pl; **93, 94, 95, 96-97** © Karim Iliya; **98, 100, 101, 102-103, 105** © Britta Jaschinski; **107** Arcaid Images/Alamy Stock Photo; **108** The J. Paul Getty Museum, Los Angeles; **109** Picture Post, August, 1949; **110o** David Fairchild; **110u** © Thomas Marent/naturepl.com; **111** eye of science; **112o** © Bruno D'Amicis/naturepl.com; **112u** Fox Photos/Hulton Archive/Getty Images; **113** imageBROKER.com GmbH & Co. KG/Alamy Stock Photo; **114o** Metropolitan Museum of Art, New York; **114u** The J. Paul Getty Museum, Los Angeles; **115o** Metropolitan Museum of Art, New York; **115u** © Tony Wu/naturepl.com; **116-117** © James Mollison; **118** Science History Images/Alamy Stock Photo; **120** Ralph Morse/The LIFE Picture Collection/Shutterstock; **121o** Fritz Goro/The LIFE Picture Collection/Shutterstock; **121u, 122** Nina Leem/The LIFE Picture Collection/Shutterstock; **123** PA Images/Alamy Stock Photo; **124** National Geographic; **125** © Ami Vitale; **127** Brett Stirton/Getty Images; **128-129** © Charles Hamilton James/naturepl.com; **131, 132, 133, 134-135** © Xavi Bou; **137, 138, 139, 140-141** © Alexander Semenov; **143, 144-145, 146-147** © Sergey Gorshkov; **149, 150, 151** © Tim Laman; **153, 154, 155** © Melissa Groo; **156, 159, 160-161, 163, 164-165** © Dina Litovsky; **166, 168, 170, 171, 173, 174-175** Foto von Tim Flach; **177, 178, 179** © Stefan Christmann/Nature in Focus; **181, 182, 183, 184, 185** © Leila Jeffreys; **187, 188-189, 190-191** © Anuar Patjane Floriuk; **193, 194, 195, 196, 197** © John Bozinov; **198, 200, 202-203, 204** © Claire Rosen; **206** © Evgenia Arbugaeva; **207** © Morgan Heim; **208** Tasmanian Museum and Art Gallery; **209o** © Maroesjka Lavigne, courtesy of Robert Mann Gallery, New York; **209u** Burton Historical Collection, Detroit Public Library; **210o** New York Public Library; **210u** © Mitsuaki Iwago/naturepl.com; **211o** © Andreas Gursky/Courtesy Sprüth Magers Berlin London/DACS 2023; **211u** New York Public Library; **212** Foto George Shiras; **213** Ed Ram/Getty Images; **214o** V&A Images; **214u** © Chris Jordan; **215** © Daniel Beltrá; **216** © Brian Skerry; **217** © Margaret Bourke-White/The LIFE Collection/Shutterstock; **219, 220-221, 222-223** © Marcin Ryczek; **225, 226, 227, 228-229** Nichole Sobecki/VII; **231, 232-233, 234-235** © Marsel van Oosten; **237, 238, 239, 240-241** Staffan Widstrand/Wild Wonders International; **243, 244-245, 246-247** © Alicia Rius; **248, 251, 252-253, 254** © Levon Biss; **256, 258-259, 260, 262-263** © Steve Winter; **265, 266, 267, 268-269** © Shannon Wild; **271, 272, 273, 274-275** © Kiliii Yuyan; **277, 278-279, 280, 281** © Daisy Gilardini; **283, 284, 285, 286-287** © Anup Shah/www.shahrogersphotography.com; **289, 290-291, 292-293** © Will Burrard-Lucas; **294, 297, 298-299, 301** © Paul Souders/Worldfoto; **302** © Martin Parr/Magnum Photos; **303** The Eric Hosking Charitable Trust; **304o** Privatsammlung; **304u** © Richard Barnes; **305o** © David Chancellor; **305u** The J. Paul Getty Museum, Los Angeles; **306-307** © Werner Bischof/Magnum Photos; **308** © Elliott Erwitt/Magnum Photos; **309o** Matt Stuart - Trafalgar Square 2004; **309u** © Richard Peters; **310o** © Fondation Henri Cartier-Bresson/Magnum Photos; **310u** The J. Paul Getty Museum, Los Angeles; **311** © Stephen Gill; **312-313** © Dmitry Kokh; **314** SSPL/Getty Images; **316** Privatsammlung; **317** © Marsel van Oosten; **318-319** © Sergey Gorshkov; **320** Rijksmuseum, Amsterdam; **321o** Cleveland Museum of Art; **321mo** Metropolitan Museum of Art, New York; **321mu** National Museum Wales; **321u** The Picture Art Collection/Alamy Stock Photo; **322o** Metropolitan Museum of Art, New York; **322mo** The J. Paul Getty Museum, Los Angeles; **322m** Bettmann/Getty Images; **322mu** Metropolitan Museum of Art, New York; **322u** Privatsammlung; **323o** Bettmann/Getty Images; **323mo & mu** Privatsammlung; **323u** Library of Congress Prints & Photographs Division; **324o** Frederick Champion; **324mo** MoMA, New York; **324mu, u & 325o** Privatsammlung; **325mo** Jack Garofalo/Paris Match/Getty Images; **325mu & u** Privatsammlung; **326o** Underwater Earth/XL Catlin Seaview Survey/Christophe Bailhache; **326mo** A. Savin, WikiCommons; **326mu** Image courtesy of Craig Smith und Diva Amon, ABYSSLINE Project; **326u** Foto von Tim Flach; **327** George Wallace; **Nachsatz** © Jim Naughten.

Über den Autor

Huw Lewis-Jones ist ein mit zahlreichen Auszeichnungen geehrter Autor, Wissenschaftler und Expeditionsleiter. Er promovierte in Cambridge und ist heute Professor an der Falmouth University, wo er Studenten anleitet, die vielfältigen Bedeutungen von Tieren zu erkunden. Er verfasste u.a. *The Sea Journal, Explorer's Sketchbook, Imagining the Arctic, Swallowed by a Whale* und den Bestseller *Verrückt nach Karten: Geniale Geschichten von fantastischen Ländern* sowie mehrere Kinderbücher, darunter *Blue Badger, Clive Penguin* und die Serie *Bad Apple*. Immer, wenn er kann, flüchtet Huw sich in die Wildnis. Am Nordpol war er schon zwölf Mal.

IG: @huwlewisjones

Dank

Ohne die Tiere gäbe es dieses Buch nicht. Natürlich sind unsere Fotograf:innen durch Dschungel gestreift, haben Berge erklommen, Wüsten durchquert und Blizzards getrotzt, um ihre bemerkenswerten Fotos schießen zu können. Wen wir aber tatsächlich bewundern müssen, das sind die Tiere. In einer Zeit, in der immer mehr Menschen sich dank der Fotografie der Wunder der Natur bewusst werden, müssen Tiere schlimmer leiden als je zuvor. Ist das nicht eigenartig?

Als ich noch als Fremdenführer und Naturforscher unterwegs war, hatte ich oft das Glück, zu abgelegenen Inseln, zwischen arktischen Eisschollen oder Riffen im Pazifik und entlang einiger antarktischer Küsten reisen zu können. Stets bewunderte ich ehrfürchtig die Wildtiere, die ich dabei zu sehen bekam. Inzwischen aber frage ich mich: Sind wir nicht Teil des Problems? Gefährden nicht ausgerechnet Expeditionen und Naturtourismus, so schonend sie auch durchgeführt werden, all das, was wir lieben? Trägt nicht die Fotografie selbst zur Zerstörung der Natur bei, indem sie die Menschen in die Flugzeuge und von dort aus in die störungsempfindlichen Lebensräume lockt? Mit diesen sinnvollen Fragen schlagen meine Student:innen und ich uns ständig herum. Kann die Fotografie in dieser Welt Gutes bewirken? Ich hoffe es doch sehr.

Ich danke all den Fotograf:innen, die ich für dieses Buch interviewen durfte, und die ihre Einsichten und Aufnahmen zur Verfügung stellten.

Besonders dankbar bin ich meinen Gefährten auf vielen Reisen, vor allem John Bozinov und dem Künstler Spider Anderson, die mich dazu anregten, auf neue Arten zu denken. Und dem Veteranen der Islandfotografie Ragnar Axelsson, den ich seit unserem ersten gemeinsamen Projekt *Die letzten Jäger der Arktis: Inuit auf Grönland* schon seit über zehn Jahren kenne. In jüngerer Zeit erlebte ich Schiffsreisen mit den unvergleichlichen Fotograf:innen Daisy Gilardini und Sergey Gorshkov, die beide in diesem Buch vertreten sind, und Camille Seaman und James Balog, die es nicht sind, es aber zweifellos beeinflusst haben. Es war mir ein besonderes Vergnügen, Leila Jeffreys vor ein paar Jahren einen ersten Eindruck der Arktis zu vermitteln, und ich freue mich schon darauf, gemeinsam mit ihr nach noch mehr Meeresvögeln Ausschau zu halten.

Emma Barton von Thames & Hudson half mir, mein Buch in Form zu bringen, während Andrew Sanigar mich in die richtige Richtung lotste. Ich danke dem Designer Daniele Roa sowie Sally Nicholls, die internationale Archive durchstöberte. Von der anderen Seite des Pazifiks aus unterstützte Yosef Wosk einmal mehr eines meiner Projekte großzügig und weise. Vor allem danke ich meinen Student:innen hier in Cornwall. Euch gehört die Zukunft. Es tut mir leid, dass euch die Natur in solch einem Zustand übergeben wird. Setzt eure Talente ein und macht euch für die stark, die euch wichtig sind. Vergesst nie: Draußen ist immer besser als online.

Register

Kursiv gesetzte Seitenzahlen
beziehen sich auf Abbildungen.

Abney, William 27
Alexander, Cherry 236, 276
Allan, Doug 124
Anschütz, Ottomar 31
Arbugaeva, Evgenia *206*, 224
Archer, Frederick Scott 22–23
Arndt, Ingo 42–47
Attenborough, David 12,
    123–124, *123*
Audubon, John James
    167, 199

Bambridge, William
    23, *24*
Barnes, Richard *304*
Beard, Peter 264
Beltrá, Daniel *215*
Bendiksen, Jonas 92
Benecke, Ernest 22, *22*
Berger, John 315
Bischof, Werner *306–307*
Biss, Levon 248–255
Bond, Frederick William
    34–35, *214*
Bou, Xavi 130–135, 224
Bourke-White, Margaret *217*
Bozinov, John 192–197
Bradford, William 26–27
Brandenburg, Jim 236
Brandt, Nick 180
Bright, Sarah Anne *115*
Burrard-Lucas, Will
    288–293

Capa, Robert 10
Carter, Kevin 186
Cartier-Bresson, Henri *310*
Chancellor, David *305*
Christmann, Stefan 176–179
Claudet, Antoine *8*
Coburn, Alvin 28
Critcherson, George 26–27, *26*
Curry, John Steuart 121

Daguerre, Louis-Jacques-
    Mandé 18–19, *18*, 22
D'Amicis, Bruno *112*
Delton, Louis-Jean *108*
Deschandol, Frank 80
Doest, Jasper 86
Dominis, John 121, 282
Dotterweich, Professor *114*
Doubilet, David 148
Downer, John *12*
Drysdale, John *113*, 242
Dulama, Roxana 10
Duncan, Martin 31
Dunmore, John 26–27, *26*

Eastman, George 11, 28
Eastman Kodak Company
    siehe Kodak
Eder, Joseph Maria *114*
Erwitt, Elliott 7, 157, *308*
Etienne, Jean-Louis 316

Fairchild, David *110*
Faraday, Michael 19
Fizeau, Hippolyte 19
Flach, Tim 166–175
Foucault, Léon 19

Fraenkel, Jeffrey 7
Franklin, John 22

Gay, John *107*
Gilardini, Daisy *2–3*, 276–281
Gill, Stephen 52, *311*
Girault de Prangey, Joseph-
    Philibert 19, *19*, 22
Goro, Fritz 121, *121*
Gorshkov, Sergey 142–147, *318–319*
Greef, Jan van der 86
Groo, Melissa 152–155
Gursky, Andreas *211*

Haes, Frank 24–25
Halsman, Philippe 186
Heim, Morgan *207*
Hillers, John 25
Hodgeson, Frederick 27
Hosking, Eric *303*
Huffman, Laton Alton 25,
    25, 305
Hurley, Frank 32, *33*

Iliya, Karim 92–97
Inglefield, Edward 22
Iwago, Mitsuaki *210*

James, Charlie Hamilton 126,
    128–129, 288
Jarvis, Chase 316
Jaschinski, Britta 98–105, 236
Jeffreys, Leila 180–185
Jenks, George Elwood 121
John Sinclair Ltd *6*
Johnson, Osa 31, *31*
Jordan, Chris 48, *214*

Kearton, Cherry und Richard 13, 25, 316
Keystone View Company 211
Kirkwood, Kate 52–57
Kodak 11, 23, 28–29, 29
Kokh, Dmitry 312–313
Koko 124

Laman, Tim 148–151, 186
Lanting, Frans 236
Larsen, Erika 270
Lascaux, Höhle 118, 119
Lavigne, Maroesjka 209
Lay, Jesse 27
Ledoux, Florian 36–41
Leen, Nina 121, 121, 122–123, 122, 316
LIFE 120–123, 120, 121, 217, 282
Litovsky, Dina 156–165
Llewelyn, John Dillwyn 23
Lodge, Reginald 25, 25
Longley, William 31, 31

McArthur, Jo-Anne 58–63
McColgan, John 176
McCombe, Leonard 123
Mangelsen, Tom 276
Marden, Luis 31–32
Marent, Thomas 110
Martin, Charles 31, 31
Máté, Bence 86
Meckes, Oliver 111
Miller, Francis 121
Misrach, Richard 10
Mitchell, Thomas 28, 28
Mittermeier, Cristina 192
Moffett, Mark 148
Mollison, James 116–117
Montizón, Don Juan, Graf von 16, 17, 316
Morse, Ralph 119–20, 120
Muybridge, Eadweard 30–31, 30, 74, 224, 310

Nachtwey, James 58
National Geographic 31, 124, 125–126, 130, 148, 257, 261, 295
Naudé, Daniel 74–79

Naughten, Jim 64–73
Newbold, Corporal Caleb 27, 27
Newman & Sinclair 29
Nichols, Michael ›Nick‹ 42, 288
Nicklen, Paul 126, 180, 186, 192

Okri, Ben 315
Oosten, Marsel van 230–235, 317
O'Sullivan, Timothy 25
Oswell, Adam 14–15

Parr, Martin 302
Patjane, Anuar 186–191
Peary, Robert 29
Peters, Richard 309
Picture Post 109
Piesiak, Mateusz 86–91
Ponting, Herbert 29–30, 29, 316
Prout, Victor 208

Ram, Ed 213
Ravidat, Marcel 118, 119
Rentmeester, Co 121
Rius, Alicia 242–247
Rosen, Claire 198–205, 224
Rosing, Norbert 276
Rothstein, Arthur 210
Rowell, Galen 295
Ruskin, John 7, 10, 12
Ryczek, Marcin 218–223

Salgado, Sebastião 52, 58, 186
Sammallahti, Pentti 180
Scott, Traer 48–51
Semenov, Alexander 136–141
Shah, Anup 282–287
Shaw, George Bernard 29
Shiras, George 130, 212, 316
Skerry, Brian 216
Slater, David 136
Sobecki, Nichole 224–229
Souders, Paul 294–301
Steber, Maggie 224
Steytler, Georgina 80–85
Stirton, Brent 126, 127, 136, 230, 236
Strand, Hans 176

Stuart, Matt 309
Szalai, Daniel 9
Talbot, William Henry Fox 18–19, 23, 314, 315
Tanner, Arthur 112
Thoreau, Henry David 148
Towell, Larry 58

Urban, Charles 31

Varma, Anand 126, 224
Vitale, Ami 48, 92, 125, 125, 126, 276, 288

Walker, Samuel Alexander 22
Watkins, Carleton 24, 24
Wayman, Stan 121
Wegman, William 157
White, George 28, 28
Widstrand, Staffan 236–241
Wild, Shannon 264–269
Williamson, John Ernest 31
Wilson, E. O. 9, 71
Winogrand, Garry 158
Winter, Steve 236, 256–263, 288
Wolfe, Art 176
Wray, Britt 316
Wu, Tony 115

Yuyan, Kiliii 270–275

Zhender, Bruno 276
Ziegler, Christian 236

Meinen MNHP-Studenten und -Studentinnen – ich hoffe, ihr findet dieses Buch nützlich!

UMSCHLAG VORN: Tim Flach, Mandrill aus der Serie *More than Human* 2012. © Tim Flach

UMSCHLAGRÜCKSEITE (im Uhrzeigersinn von oben links): Anonyme Daguerreotypie, um 1850, Foto Sotheby's/Privatsammlung; Paul Souders, Eisbär, Hudson Bay, Kanada, 2013 © Paul Souders/Worldfoto; Leila Jeffreys, Inkakakadu, 2012 © Leila Jeffreys; Shannon Wild, Larvensifaka, Madagaskar, 2015 © Shannon Wild

VORDERER VORSATZ: Die ersten massenproduzierten Tierbilder, Stereografien aus internationalen Sammlungen, 1865–1904

HINTERER VORSATZ: Jim Naughten, Stereografien aus der Serie *Mountains of Kong*, 2019

SEITE 2: Daisy Gilardini, Weddellrobbe, Half Moon Island, Antarktis, 2014

SEITE 4: Frederick York, von Hand kolorierte Laterna-Magica-Bilder, Londoner Zoo, 1870

Titel der Originalausgabe: *Why We Photograph Animals*
2024 erschienen bei Thames & Hudson Ltd,
181A High Holborn, London WC1V 7QX

Why We Photograph Animals © 2024 Thames & Hudson Ltd, London
Text © 2024 Huw Lewis-Jones
Published by arrangement with Thames & Hudson, London.

Deutsche Erstausgabe 2024
Copyright © 2024 von dem Knesebeck GmbH & Co. Verlag KG, München
Ein Unternehmen der Média-Participations

Projektleitung: Ellen Venzmer, Knesebeck Verlag
Übersetzung: Dr. Cornelia Panzacchi, Göttingen
Lektorat und Satz: Gerdi Killer, booklab GmbH, München
Umschlagadaption: Fabian Arnet, Knesebeck Verlag
Druck: Toppan Leefung Printing Limited
Printed in China

ISBN 978-3-95728-831-8

www.knesebeck-verlag.de

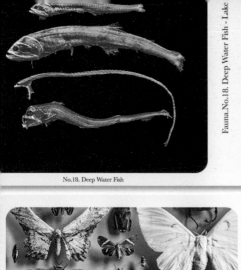

Fauna.No.18. Deep Water Fish - Lake

No.18. Deep Water Fish

Jim Naughten Presents 'Mountains of
Stereoscopic images from a lost landscap

No.09. The

Fauna.No.13. The Insects

No.13. The Insects

Jim Naughten Presents 'Mountains of Kong'
Stereoscopic images from a lost landscape

Fauna.No.11. The Sea Dragon

No.11. The Sea Dragon

Jim Naughten Presents 'Mountains of Kong'
Stereoscopic images from a lost landscape

No.15. The Anim

a.No.02. The Monkey Tree

en Presents 'Mountains of Kong'
opic images from a lost landscape

Fauna.No.01.The Lions

Jim Naughten Presents 'Mountains of Kong'
Stereoscopic images from a lost landscape

No.10.The Jungle Gorilla

Mountains of Kong

Fauna.No.06. The Silver Lion

No.06. The Silver Lion

Jim Naughten Presents 'Mountains of Kong'
Stereoscopic images from a lost landscape

Mountains of Kong

Fauna.No.15. The Animal Pass

Jim Naughten Presents 'Mountains of Kong'
Stereoscopic images from a lost landscape

No.04.The Deer

Mountains of Kong

Fauna.No.07. The Moose

en Presents 'Mountains of Kong'
opic images from a lost landscape